上・下合わせて
898ぴきのポケモンを大しょうかい!!

「898ぴきせいぞろい！ポケモン大図鑑」は、「上」「下」2さつで1つの図鑑だよ！この本は「上」で、アーケオスからトサキントまで、**452**ひきをしょうかいしているよ！

🔴 もくじ

ポケモン大図鑑の見方	4
バトルのカギはタイプの相性	8
ア行のポケモン	10
カ行のポケモン	144
サ行のポケモン	331
タ行のポケモン（トサキントまで）	448
「898ぴきせいぞろい！ポケモン大図鑑 下」の紹介	551

タ行（ドジョッチから）、ナ行、ハ行、マ行、ヤ行、ラ行、ワ行のポケモンは「下」にのっています。

キョダイマックス、メガシンカ、ゲンシカイキのポケモン

アーマーガア ——————— 16
（キョダイマックスのすがた）
アップリュー ——————— 31
（キョダイマックスのすがた）
メガアブソル ——————— 35
イーブイ ——————— 52
（キョダイマックスのすがた）
イオルブ ——————— 56
（キョダイマックスのすがた）
インテレオン ——————— 69
（キョダイマックスのすがた）
ウーラオス ——————— 72
（いちげきのかた・キョダイマックスのすがた）
ウーラオス ——————— 74
（れんげきのかた・キョダイマックスのすがた）
エースバーン ——————— 94
（キョダイマックスのすがた）
メガエルレイド ——————— 105
オーロンゲ ——————— 121
（キョダイマックスのすがた）
メガオニゴーリ ——————— 134
ゲンシカイオーガ ——————— 147
カイリキー ——————— 149
（キョダイマックスのすがた）
メガカイロス ——————— 152
カジリガメ ——————— 159
（キョダイマックスのすがた）
カビゴン ——————— 165
（キョダイマックスのすがた）
メガガブリアス ——————— 173
カメックス ——————— 183
（キョダイマックスのすがた）
メガカメックス ——————— 184
メガガルーラ ——————— 198

メガギャラドス ——————— 215
キングラー ——————— 234
（キョダイマックスのすがた）
メガクチート ——————— 241
ゲンシグラードン ——————— 245
ゲンガー ——————— 274
（キョダイマックスのすがた）
メガゲンガー ——————— 275
ゴリランダー ——————— 316
（キョダイマックスのすがた）
メガサーナイト ——————— 332
サダイジャ ——————— 341
（キョダイマックスのすがた）
メガサメハダー ——————— 352
メガジュカイン ——————— 394
メガジュペッタ ——————— 401
ジュラルドン ——————— 403
（キョダイマックスのすがた）
ストリンダー ——————— 420
（キョダイマックスのすがた）
メガスピアー ——————— 426
セキタンザン ——————— 434
（キョダイマックスのすがた）
ダイオウドウ ——————— 451
（キョダイマックスのすがた）
ダストダス ——————— 461
（キョダイマックスのすがた）
メガタブンネ ——————— 471
タルップル ——————— 477
（キョダイマックスのすがた）
メガチャーレム ——————— 488
メガチルタリス ——————— 498
メガディアンシー ——————— 508
メガデンリュウ ——————— 534

＊メガシンカとゲンシカイキのポケモンは、それぞれ元のすがたの次のページにのっています。

ポケモン大図鑑の見方

この本はポケモンがアイウエオ順にならんでいるから、知りたいポケモンがすぐさがせるよ。図鑑の見方をしっかり覚えよう!

分類
ポケモンの特徴をひとことで表している。

名前
ポケモンの名前。

名前の最初の文字
そのページにのっているポケモンの名前の1文字目だよ。ポケモンはアイウエオ順にならんでいるので、辞書を引くようにして好きなポケモンをさがそう。

ずかんばんごう
ポケモンずかんのばんごう。

タイプ
タイプは全部で18種類。タイプが2つあるポケモンもいる。バトルではタイプの相性がとても大事だよ。

とくせい
ポケモンがもつ特別な性質。バトルで役に立つよ。2つ書いてある場合は、どちらか1つをもっている。

かいせつ
ポケモンのくわしい説明だよ。

しんか
ポケモンによっては、じょうけんがそろうと進化して、名前やすがたが変わる。赤い字で書いてあるのが、そのページのポケモンで、進化前や後のポケモンも一目でわかるよ。

エースバーン　ACEBURN

ストライカーポケモン

ずかんばんごう	815
タイプ	ほのお ……
とくせい	もうか ……
たかさ	1.4m
おもさ	33.0kg

たかさ・おもさ

かいせつ
小石をリフティングして、ほのおのサッカーボールをつくる。するどいシュートで相手をもやす。

ぶ火すいすぐれ、わつえんされなどっちらにもえるが、"スタンドプレイ"に走りビンチをまねくこともある。

おぼえるわざ
かえんボール、コートチェンジ、フェイント

しんか	
ヒバニー	ラビフット	エースバーン

＊リフティング：手以外を使って、ボールを落とさずに行に上げ続けること。
＊スタンドプレイ：スポーツなどで、観客のために行うはなばなしいプレイ。

93

おぼえるわざ
ポケモンが覚えるわざ。ほかにも、いろいろなわざを覚えるよ。

4

リージョンフォームのポケモン

ガラル地方やアローラ地方など一部の地方には、名前は同じだけれど、すがたや特徴などがちがう「リージョンフォーム」とよばれるポケモンがいる。これらのポケモンは、名前の下に「○○○のすがた」と書いてあるよ。

ガラルのすがた

ガラル地方のかんきょうに合わせてすがたを変えたポケモン。名前に「ガラルのすがた」がつく。

サニーゴ GALAR SUNNYGO
ガラルのすがた

さんごポケモン
すかんばんごう 222
タイプ ゴースト
とくせい くだけるよろい
たかさ 0.6m
おもさ 0.5kg

かいせつ
大昔、海だった場所に、よく転がっている。石ころとまちがえると、たたられる。
急なかんきょうの変化で死んだ、太古のサニーゴ。えだで、人の生気をすう。

おぼえるわざ
ナイトヘッド、ちからをすいとる、のろい

しんか サニーゴ(ガラルのすがた) → サニゴーン

アローラのすがた

アローラ地方のかんきょうに合わせてすがたを変えたポケモン。名前に「アローラのすがた」がつく。

ダグトリオ ALOLA DUGTRIO
アローラのすがた

3びきはとても仲良し、ばつぐんのコンビネーションで強敵に立ち向かい、たおす。

もぐらポケモン
すかんばんごう 051
タイプ じめん / はがね
とくせい すなのちから / カーリーヘアー
たかさ 0.7m
おもさ 66.6kg

かいせつ
美しい金属質のヒゲは、ヘルメットのように頭をほごし、かつ、高感度なセンサーでもある。

おぼえるわざ
アイアンヘッド、つじぎり、トライアタック

しんか ディグダ(アローラのすがた) → ダグトリオ(アローラのすがた)

345　　　457

5

キョダイマックスポケモン

カメックス
キョダイマックスのすがた

KYODAIMAX KAMEX

真ん中の主砲から放たれる水鉄砲は、山をうちぬき、あなを開ける破壊力だ。

こうらポケモン

すかんばんごう	009
タイプ	みず ……
とくせい	げきりゅう ……
たかさ	25.0m〜
おもさ	???.?kg

かいせつ
せいみつな射撃は苦手。31門の大砲で、うってうってうちまくるスタイルで、せめるのだ。

おぼえるわざ
キョダイホウゲキ

183

「キョダイマックス」とは、ポケモンが大きくなって見た目が変わることだよ。これは、ガラル地方の一部の場所だけで起きる不思議な現象だよ。キョダイマックスができるポケモンは、いままでに32ひき見つかっている。

キョダイマックスわざを使える!!
キョダイマックスポケモンだけが使える、とても強いわざだよ。

見た目と大きさが変わる!!
大きすぎて、おもさはわからない。タイプやとくせいは変わらないよ。

カメックス
（キョダイマックスのすがた）

カメックス

6

メガシンカポケモン

「メガシンカ」は、ポケモンがバトル中に進化して、強い力を出す現象だよ。タイプやたかさ・おもさなどが変わることがあるので、元のポケモンとくらべてみよう。メガシンカポケモンは、いままでに48種類見つかっているよ。

メガジュカイン

メガシンカすると見た目や能力が変わる！

こうげき力やすばやさなどが上がって、バトルで大かつやくする。とくせいが変わることもあるよ。

ジュカイン

ゲンシカイキ

「ゲンシカイキ」は、ポケモンがはるか昔のすがたにもどり、本来の力を取りもどす現象だよ。ゲンシカイキができるポケモンは、グラードンとカイオーガの２ひきだけだよ。

＊メガシンカとゲンシカイキのポケモンは、それぞれ元のすがたの次のページにのっているよ！ 7

バトルのカギはタイプの相性

ポケモンバトルでは、タイプの相性がとても大事。ポケモンが使うわざのタイプと、こうげきを受けるポケモンのタイプの組み合わせで、わざのこうかが変わるよ。下の表を見て、相性を覚えよう!

わざ・タイプ相性表

ポケモンが使うわざのタイプ \ こうげきを受けるポケモンのタイプ	ノーマル	ほのお	みず	でんき	くさ	こおり	かくとう	どく	じめん	ひこう	エスパー	むし	いわ	ゴースト	ドラゴン	あく	はがね	フェアリー
ノーマル													▲	×			▲	
ほのお		▲	▲		●	●						●	▲		▲		●	
みず		●	▲		▲				●				●		▲			
でんき			●	▲	▲				×						▲			
くさ		▲	●		▲			▲	●	▲		▲	●		▲		▲	
こおり		▲	▲		●	▲			●	●					●		▲	
かくとう	●					●		▲		▲	▲	▲	●	×		●	●	▲
どく					●			▲	▲				▲	▲			×	●
じめん		●		●	▲			●		×		▲	●				●	
ひこう				▲	●		●					●	▲				▲	
エスパー							●	●			▲					×	▲	
むし		▲			●		▲	▲		▲	●			▲		●	▲	▲
いわ		●				●	▲		▲	●		●					▲	
ゴースト	×										●			●		▲		
ドラゴン															●		▲	×
あく							▲				●			●		▲		▲
はがね		▲	▲	▲		●							●				▲	●
フェアリー		▲					●	▲							●	●	▲	

マークの見方
● : こうかはばつぐん　▲ : こうかはいまひとつ
× : こうかがない　マークなし : ふつうのこうか

「こうかはばつぐん」をねらおう！

「こうかはばつぐん」の組み合わせを覚えよう！　たとえばサルノリは、くさタイプのわざが得意だから、みずタイプのゼニガメに強いよ。でも、サルノリはアチャモに、ほのおタイプのわざでこうげきされると弱いんだ。

アーケオス ARCHEOS

飛ぶこともできるが、地上で獲物を狩ることのほうが、ずっと得意だったようだ。

さいことりポケモン

ずかんばんごう	**567**
タイプ	いわ ひこう
とくせい	よわき ……
たかさ	1.4m
おもさ	32.0kg

かいせつ

飛び立つために助走する。そのきょりは、およそ4キロ。走る速さは、時速40キロ。

おぼえるわざ

ドラゴンクロー、こうそくいどう、あばれる

しんか

  →

アーケン　　アーケオス

アーケン　ARCHEN

鳥ポケモンの祖先といわれる。木の上でくらし、木の実や虫ポケモンを食べていた。

さいこどりポケモン

ずかんばんごう	566
タイプ	いわ / ひこう
とくせい	よわき ……
たかさ	0.5m
おもさ	9.5kg

かいせつ

化石から復元に成功。研究のとおり飛べないが、ジャンプは得意なポケモンだ。

おぼえるわざ

でんこうせっか、つばさでうつ、いわなだれ

しんか

アーケン → アーケオス

アーゴヨン AGOYON

どくばりポケモン

ずかんばんごう	**804**
タイプ	どく ドラゴン
とくせい	ビーストブースト ……
たかさ	3.6m
おもさ	150.0kg

毒バリから、粘度が高く光る毒液を発射する。

かいせつ

体内に、数百リットルの毒液をためている。

ウルトラビーストとよばれる生物の一種。

おぼえるわざ

エアカッター、ドラゴンダイブ、とどめばり

しんか

ベベノム

アーゴヨン

アーボ　ARBO

へびポケモン	
ずかんばんごう	023
タイプ	どく ……
とくせい	いかく だっぴ
たかさ	2.0m
おもさ	6.9kg

かいせつ

育つほどに、どんどん長くなる。そして、夜中は木のえだにグルグルとからまって休む。

おぼえるわざ

にらみつける、まきつく、ダストシュート

あごを外すことで、自分より大きな獲物も丸のみにする。食後は体を丸め、休む。

しんか

アーボ → アーボック

アーボック

ARBOK

恐ろしげなおなかのもようは、研究の結果、6種類ほどパターンがくにんされている。

コブラポケモン

ずかんばんごう	**024**
タイプ	どく ……
とくせい	いかく だっぴ
たかさ	3.5m
おもさ	65.0kg

かいせつ

おなかのもようでひるませると、すばやく体でしめ上げて、相手の鼓動が止まるのを待つ。

おぼえるわざ

とぐろをまく、へびにらみ、どろばくだん

しんか

 →

アーボ　　アーボック

アーマーガア ARMORGA

カラスポケモン	
ずかんばんごう	**823**
タイプ	ひこう はがね
とくせい	プレッシャー きんちょうかん
たかさ	2.2m
おもさ	75.0kg

かいせつ
ガラル地方の空では、てきなし。黒光りするはがねのすがたは、相手をいあつし、おそれさせる。

飛行能力にすぐれていて、とてもかしこいため、ガラル地方で空のタクシーとして活躍。

おぼえるわざ
はがねのつばさ、ブレイブバード、てっぺき

しんか

 → → →

ココガラ　アオガラス　アーマーガア

アーマーガア

キョダイマックスのすがた

ブレードバードとよばれる背中の8まいの羽根は、本体をはなれ独立して、てきにおそいかかる。

KYODAIMAX ARMORGA

アーマーガア

カラスポケモン

ずかんばんごう	823
タイプ	ひこう / はがね
とくせい	プレッシャー / きんちょうかん
たかさ	14.0m〜
おもさ	???.?kg

かいせつ

キョダイマックスのパワーで羽ばたくと、ハリケーンをしのぐ強風が、すべてをふき飛ばす。

おぼえるわざ

キョダイフウゲキ

アーマルド ARMALDO

陸地で生活するが、泳ぎも得意。獲物を求めて海に潜り、鋭いツメでしとめる。

かっちゅうポケモン	
ずかんばんごう	**348**
タイプ	いわ / むし
とくせい	カブトアーマー ……
たかさ	1.5m
おもさ	68.2kg

かいせつ

進化して陸地に上がった。下半身が強化され、しっぽの一撃は、すごい破壊力だ。

おぼえるわざ

しおみず、シザークロス、ブレイククロー

しんか

アノプス → アーマルド

17

アイアント AIANT

大きなあごは、岩石をもかみくだく。サダイジャからタマゴを守るため、むれで戦う。

てつアリポケモン

ずかんばんごう	**632**
タイプ	むし はがね
とくせい	むしのしらせ はりきり
たかさ	0.3m
おもさ	33.0kg

かいせつ

巣のおく深くにタマゴを産む。クイタランにおそわれると、大きなあごでかみついて反撃。

おぼえるわざ

シザークロス、ハサミギロチン、てっぺき

しんか

アイアント 進化しない

アオガラス　AOGARASU

カラスポケモン

ずかんばんごう	822
タイプ	ひこう ……
とくせい	するどいめ きんちょうかん
たかさ	0.8m
おもさ	16.0kg

きびしい戦いをくぐりぬけて、相手の力量を正確にはんだんする力が身についた。

かいせつ

足で小石をつかんで投げたり、ロープをてきにまきつけるなど、道具をあつかう知恵をもつ。

おぼえるわざ

ドリルくちばし、こわいかお、みだれづき

しんか

 ココガラ → アオガラス → アーマーガア

19

アギルダー　AGILDER

カラをぬぎすて、身軽になった。帯状のねんまくを体にまきつけ、かんそうをふせぐ。

からぬけポケモン

ずかんばんごう	617
タイプ	むし ……
とくせい	うるおいボディ ねんちゃく
たかさ	0.8m
おもさ	25.3kg

かいせつ

すばやい動きで、毒を飛ばし戦う。アギルダーが主役の映画やマンガは、大人気。

おぼえるわざ

みずしゅりけん、かげぶんしん、どくどく

しんか

  →

チョボマキ　　アギルダー

アクジキング　AKUZIKING

この世界では、異質できけんだが、本来すんでいる世界では、ふつうに見かける生物らしい。

あくじきポケモン

ずかんばんごう	**799**
タイプ	あく ドラゴン
とくせい	ビーストブースト……
たかさ	5.5m
おもさ	888.0kg

かいせつ

ウルトラビーストとよばれる未知の生命。つねにはらをすかせているのか、ずっとなにかを食べている。

おぼえるわざ

ドラゴンダイブ、ギガインパクト、のみこむ

しんか

アクジキング　進化しない

21

アグノム　AGNOME

いしポケモン	
ずかんばんごう	**482**
タイプ	エスパー ……
とくせい	ふゆう ……
たかさ	0.3m
おもさ	0.3kg

意思の神とよばれている。湖の底でねむり続け、世界のバランスをとっている。

かいせつ

＊ユクシー、エムリット、アグノムは、同じタマゴから生まれたポケモンと考えられている。

おぼえるわざ

だいばくはつ、じんつうりき、みらいよち

しんか

アグノム　進化しない

＊ユクシー：「下」にのっているポケモンだよ。

アゲハント AGEHUNT

あまい花粉が大好物のポケモン。花をつけたはち植えを窓辺に置けば、花粉を集めに、必ず飛んでくるよ。

ちょうちょポケモン

ずかんばんごう	267
タイプ	むし ひこう
とくせい	むしのしらせ ……
たかさ	1.0m
おもさ	28.4kg

かいせつ

くるりとまいたハリのような長い口は、花粉を集めるときに、とても便利。春風に乗って、花粉を集めて回る。

おぼえるわざ

エアカッター、ぎんいろのかぜ、ふきとばし

しんか

ケムッソ → カラサリス → アゲハント

アゴジムシ AGOJIMUSHI

大きなあごで、森の地面をほって、巣あなをつくる。あまい樹液が大好物。

ようちゅうポケモン

ずかんばんごう	**736**
タイプ	むし ……
とくせい	むしのしらせ ……
たかさ	0.4m
おもさ	4.4kg

かいせつ

大きなあごは、太いえだをへし折る威力。天敵のココガラも、たまらずにげだす。

おぼえるわざ

どろかけ、あなをほる、ねばねばネット

しんか

アゴジムシ → デンヂムシ → クワガノン

アサナン ASANAN

めいそうポケモン	
ずかんばんごう	307
タイプ	かくとう エスパー
とくせい	ヨガパワー ……
たかさ	0.6m
おもさ	11.2kg

山奥でヨガの修行をしている。めいそうをしていても集中力がとぎれてしまうため、修行は終わらない。

かいせつ

めいそうで、精神エネルギーを高めている。1日に、木の実を1こだけしか食べない。あまり食べないことも修行の1つ。

おぼえるわざ

ねんりき、とびひざげり、ヨガのポーズ

しんか

アサナン → チャーレム

25

アシマリ　ASHIMARI

あしかポケモン	
ずかんばんごう	**728**
タイプ	みず ……
とくせい	げきりゅう ……
たかさ	0.4m
おもさ	7.5kg

弾力性のある水のバルーンに乗って、大ジャンプ。*アクロバティックに戦うぞ。

かいせつ

毎日懸命に練習して、ようやく大きくて高性能なバルーンをつくれるようになるのだ。

おぼえるわざ

うたう、みずでっぽう、バブルこうせん

しんか

アシマリ　➡　オシャマリ　➡　アシレーヌ

＊アクロバティック：ふつうはできない、身軽で曲芸のような動き。

アシレーヌ　ASHIRENE

ソリストポケモン

ずかんばんごう	**730**
タイプ	みず フェアリー
とくせい	げきりゅう ……
たかさ	1.8m
おもさ	44.0kg

口から発する音波で、水のバルーンをあやつる。音波は、清らかな歌声に聞こえる。

かいせつ

戦いは、アシレーヌのステージ。歌とバルーンのまうようすは、観戦者たちを魅了する。

おぼえるわざ

うたかたのアリア、ハイドロポンプ、うたう

しんか

アシマリ　→　オシャマリ　→　アシレーヌ

＊魅了：心を引きつけて、夢中にさせること。

アズマオウ　AZUMAO

秋になると、プロポーズのため、体にあぶらがのってきて、とてもきれいな色に変化する。

きんぎょポケモン

ずかんばんごう	119
タイプ	みず ……
とくせい	すいすい みずのベール
たかさ	1.3m
おもさ	39.0kg

かいせつ

ツノで川底の岩をくりぬき、巣をつくるのは、産みつけたタマゴが流されないようにするためだ。

おぼえるわざ

メガホーン、みずのはどう、たきのぼり

しんか

トサキント
→

アズマオウ

アチャモ ACHAMO

ひよこポケモン

ずかんばんごう	255
タイプ	ほのお ……
とくせい	もうか ……
たかさ	0.4m
おもさ	2.5kg

かいせつ

体内（たいない）に、ほのおをもやす場所（ばしょ）があるので、だきしめると、ぽかぽかとってもあたたかい。全身（ぜんしん）、ふかふかの羽毛（うもう）におおわれている。

トレーナーにくっついて、ちょこちょこ歩（ある）く。口（くち）から飛（と）ばすほのおは、摂氏（せっし）1000度（ど）。相手（あいて）を黒（くろ）コゲにする、灼熱（しゃくねつ）の玉（たま）だ。

おぼえるわざ

ひのこ、でんこうせっか、とびはねる

しんか　アチャモ　ワカシャモ　バシャーモ

＊摂氏（せっし）：セ氏温度目盛（しおんどめも）り。

アップリュー　APPRYU

りんごはねポケモン

ずかんばんごう 841

タイプ	くさ ドラゴン
とくせい	じゅくせい くいしんぼう
たかさ	0.3m
おもさ	1.0kg

りんごの皮のつばさで飛んで、強酸性の唾液を飛ばす。りんごの形に変形する。

かいせつ

すっぱいりんごを食べて進化。やけどするほど強酸性の液体を、ほほぶくろにためる。

おぼえるわざ

つばさでうつ、Gのちから、そらをとぶ

しんか

カジッチュ

アップリュー

30

アップリュー
キョダイマックスのすがた

KYODAIMAX
APPRYU

首をのばすと、もうれつにあまいミツのにおいがあふれ出し、かいだポケモンを気絶させてしまう。

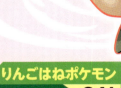

アップリュー

アカサタナハマヤラワ

りんごはねポケモン

ずかんばんごう	841
タイプ	くさ ドラゴン
とくせい	じゅくせい くいしんぼう
たかさ	24.0m〜
おもさ	???.?kg

かいせつ

キョダイマックスのパワーがミツを増量させた結果、巨大なりんごのすがたに変貌した。

おぼえるわざ

キョダイサンゲキ

アノプス ANOPTH

8まいのハネを、ボートのオールのように動かし、速く泳げる。虫ポケモンの祖先の一種。

むかしエビポケモン

ずかんばんごう	**347**
タイプ	いわ むし
とくせい	カブトアーマー……
たかさ	0.7m
おもさ	12.5kg

かいせつ

化石から復元したポケモン。1億年ほど前の海でくらし、2本のツメで狩りをしていた。

おぼえるわざ

かたくなる、メタルクロー、みずでっぽう

しんか

アノプス → アーマルド

アバゴーラ　ABAGOURA

水の中とくらべて動きはにぶいが、獲物をさがし求め、陸上でも活動するぞ。

こだいがめポケモン

ずかんばんごう	565
タイプ	みず いわ
とくせい	ハードロック がんじょう
たかさ	1.2m
おもさ	81.0kg

かいせつ

獲物のカラやホネも残さず、きれいにたいらげるので、こうらは、ぶあつくかたく成長する。

おぼえるわざ

げんしのちから、ハイドロポンプ、しおみず

しんか

プロトーガ → アバゴーラ

アブソル　ABSOL

風のように野山をかけぬける。弓なりのツノは、自然災害の予兆を敏感に感じとる。

わざわいポケモン

ずかんばんごう	**359**
タイプ	あく……
とくせい	プレッシャー きょううん
たかさ	1.2m
おもさ	47.0kg

かいせつ

きけんを察知する能力をもつがゆえに、人からは、わざわいをもたらすポケモンとごかいされた。

おぼえるわざ

はたきおとす、かげぶんしん、つるぎのまい

しんか　 進化しない

アブソル

メガアブソル

MEGA ABSOL

アブソル

本来、争いを好まないため、戦いのためのこのすがたに変わることを、とてもきらっている。

わざわいポケモン

ずかんばんごう	**359**
タイプ	あく……
とくせい	マジックミラー……
たかさ	1.2m
おもさ	49.0kg

かいせつ

メガシンカのエネルギーをいあつ*オーラに変えて、ふりまいている。気の弱い人はショック死する。

おぼえるわざ

サイコカッター、かまいたち、ほろびのうた

*オーラ：体から出るエネルギーのようなもの。

アブリー ABULY

花粉やミツが大好物。*ヒメンカの花粉をねらって、アブリーが近くを飛び回る。

ツリアブポケモン

ずかんばんごう	742
タイプ	むし フェアリー
とくせい	みつあつめ りんぷん
たかさ	0.1m
おもさ	0.2kg

かいせつ

てきが発する*オーラから、次の行動を予測する。こうげきをひらりとかわして、反撃する。

おぼえるわざ

すいとる、ようせいのかぜ、あまいかおり

しんか

アブリー → アブリボン

*オーラ：体から出るエネルギーのようなもの。
*ヒメンカ：「下」にのっているポケモンだよ。

アブリボン ABURIBBON

花粉とミツをまぜて、団子をつくる。調合する種類や量によって、効果がちがう。

ツリアブポケモン	
ずかんばんごう	743
タイプ	むし フェアリー
とくせい	みつあつめ りんぷん
たかさ	0.2m
おもさ	0.5kg

かいせつ

湿度や風向きから、天候を予測できる。晴天が続くときにしか、すがたを見せないのだ。

おぼえるわざ

かふんだんご、むしのていこう、しびれごな

しんか

 →

アブリー　アブリボン

37

アマージョ　AMAJO

かたくとがったつま先でけりをおみまいして、相手の体と心に、消えないキズを残す。

フルーツポケモン

ずかんばんごう	**763**
タイプ	くさ ……
とくせい	リーフガード じょおうのいげん
たかさ	1.2m
おもさ	21.4kg

かいせつ

すらりとのびた足と、残忍な心をもち、おそれられている。てきをようしゃなくふみにじる。

おぼえるわざ

トロピカルキック、とびひざげり、ふみつけ

しんか

 アマカジ → アママイコ → アマージョ

アマカジ　AMAKAJI

体からもれ出す果実のあまいにおいが、鳥ポケモンの食欲を、はげしくしげきする。

フルーツポケモン	
ずかんばんごう	**761**
タイプ	くさ ……
とくせい	リーフガード どんかん
たかさ	0.3m
おもさ	3.2kg

かいせつ

おそわれたときに流すあせは、あまくておいしい。そのかおりが、さらにてきをふやしてしまうのだ。

おぼえるわざ

はねる、なかよくする、マジカルリーフ

しんか：アマカジ → アママイコ → アマージョ

アママイコ　AMAMAIKO

ついてくるアオガラスには、頭のヘタでなぐりつけてから、するどいけりわざをおみまいする。

フルーツポケモン

ずかんばんごう	**762**
タイプ	くさ ……
とくせい	リーフガード どんかん
たかさ	0.7m
おもさ	8.2kg

かいせつ

おどるようにターンして、あまいかおりをふりまく。そのにおいをかぐと、幸せな気持ちになる。

おぼえるわざ

はっぱカッター、こうそくスピン、じたばた

しんか

 → → → →

アマカジ　アママイコ　アマージョ

アマルス　AMARUS

全滅した古代のポケモン。氷づけの状態で発見されることもあるぞ。

ツンドラポケモン

ずかんばんごう	698
タイプ	いわ／こおり
とくせい	フリーズスキン……
たかさ	1.3m
おもさ	25.2kg

かいせつ
化石から復元が成功。てきの少ない寒い土地で、むれをつくり、くらしていた。

おぼえるわざ
こなゆき、げんしのちから、オーロラビーム

しんか

アマルス → アマルルガ

アマルルガ AMARURUGA

はげしいいかりにかられると、もうれつな冷気(れいき)をふき出して、あたり一面(いちめん)を氷(こおり)づけにする。

ツンドラポケモン

ずかんばんごう	**699**
タイプ	いわ こおり
とくせい	フリーズスキン ……
たかさ	2.7m
おもさ	225.0kg

かいせつ

化石(かせき)から復元(ふくげん)された。アマルルガがほえると、夜空(よぞら)にオーロラがあらわれるという。

おぼえるわざ

フリーズドライ、れいとうビーム、ふぶき

しんか

アマルス → アマルルガ

42

アメタマ　AMETAMA

水草の多い池やぬまにすむ。棲息地も食べるエサも近いシズクモと、よく争う。

あめんぼポケモン

ずかんばんごう	**283**
タイプ	むし みず
とくせい	すいすい ……
たかさ	0.5m
おもさ	1.7kg

かいせつ

ピンチになると、突起からあまいしるを出す。これを集めたシロップは、パンにつけるとうまい。

おぼえるわざ

あわ、バブルこうせん、アクアジェット

しんか

アメタマ → アメモース

アメモース　AMEMOTH

目玉もようでてきをいかく。それでダメなら、4まいのハネを使って、器用ににげ回るのだ。

めだまポケモン

ずかんばんごう	284
タイプ	むし ひこう
とくせい	いかく ……
たかさ	0.8m
おもさ	3.6kg

かいせつ

うすいハネのような触角は、湿気をすいやすい。雨の日は木の*ウロなどで、じっとすごす。

おぼえるわざ

みずあそび、エアカッター、ぎんいろのかぜ

しんか

 ➡

アメタマ　　アメモース

*ウロ：中身がなく、からになっているところ。

アリアドス　ARIADOS

アリアドスの糸を使って、機を織る地域もある。じょうぶなぬので、好評だ。

あしながポケモン

ずかんばんごう	168
タイプ	むし どく
とくせい	むしのしらせ ふみん
たかさ	1.1m
おもさ	33.5kg

かいせつ

夜ごと、獲物を求めてさまよう。見つけた獲物に糸をはき、身動きをふうじて、キバでかじる。

おぼえるわざ

ねばねばネット、ミサイルばり、クモのす

しんか

イトマル → アリアドス

＊機を織る：機械を使って、糸からぬのをつくること。

アリゲイツ ALLIGATES

おおあごポケモン	
ずかんばんごう	**159**
タイプ	みず ……
とくせい	げきりゅう ……
たかさ	1.1m
おもさ	25.0kg

キバは、ぬけても次から次に生えてくる。いつも、口の中には、48本のキバがそろっている。

かいせつ

一度かみついたら、絶対にはなさない。キバの先が、つりばりみたいに反り返っているので、一度ささるとぬけなくなるのだ。

おぼえるわざ

きりさく、アクアテール、こおりのキバ

しんか

ワニノコ　アリゲイツ　オーダイル

アルセウス ARCEUS

そうぞうポケモン

ずかんばんごう	**493**
タイプ	ノーマル ……
とくせい	マルチタイプ ……
たかさ	3.2m
おもさ	320.0kg

かいせつ
タマゴからすがたをあらわして、世界のすべてを生み出したと、シンオウ神話に語られている。

宇宙がまだないころに最初に生まれたポケモンと、神話の中で語られている。

おぼえるわざ
さばきのつぶて、はかいこうせん、しんそく

しんか アルセウス 進化しない

タイプシフト

アルセウスは、とくせい「マルチタイプ」のこうかで、プレートをもつと、タイプと体の色が変わるよ。

あくタイプ
こわもてプレート

いわタイプ
がんせきプレート

エスパータイプ
ふしぎのプレート

かくとうタイプ
こぶしのプレート

くさタイプ
みどりのプレート

ゴーストタイプ
もののけプレート

こおりタイプ
つららのプレート

じめんタイプ
だいちのプレート

 **でんきタイプ** いかずちプレート	 **どくタイプ** もうどくプレート	 **ドラゴンタイプ** りゅうのプレート
 **はがねタイプ** こうてつプレート	 **ひこうタイプ** あおぞらプレート	 **フェアリータイプ** せいれいプレート
 **ほのおタイプ** ひのたまプレート	 **みずタイプ** しずくプレート	 **むしタイプ** たまむしプレート

ア カ サ タ ナ ハ マ ヤ ラ ワ

49

アンノーン UNKNOWN

シンボルポケモン

ずかんばんごう	201
タイプ	エスパー ……
とくせい	ふゆう ……
たかさ	0.5m
おもさ	5.0kg

体自体はうすっぺらく、いつもかべにはりついている。形になにか意味があるらしい。

かいせつ

古代の文字に、にたすがたのポケモン。先に生まれたのは文字か、アンノーンなのか。研究中だが、いまだになぞである。

おぼえるわざ

めざめるパワー

しんか

アンノーン　進化しない

50

イーブイ

EIEVUI

しんかポケモン

ずかんばんごう	> 133
タイプ	ノーマル ……
とくせい	にげあし てきおうりょく
たかさ	0.3m
おもさ	6.5kg

まわりのかんきょうに合わせて、体の つくりを変えていく能力の持ち主。

かいせつ

不安定な *遺伝子のお かげで、さまざまな進 化の可能性をひめてい る特殊なポケモン。

おぼえるわざ

スピードスター、あま える、つぶらなひとみ

イカサタナハマヤラワ

しんか

イーブイ → エーフィ / グレイシア / サンダース / シャワーズ / ニンフィア / ブースター / ブラッキー / リーフィア

＊遺伝子：親の体の形や性質が、子に伝わることを遺伝という。遺伝子は遺伝を 起こす元になる物質。

51

イーブイ

KYODAIMAX EIEVUI

キョダイマックスのすがた

無邪気さに拍車がかかった。どんな相手にもじゃれつくが、巨体ゆえに、おしつぶしてしまう。

イーブイ

しんかポケモン

ずかんばんごう	133
タイプ	ノーマル ……
とくせい	にげあし てきおうりょく
たかさ	18.0m〜
おもさ	???.?kg

かいせつ

キョダイマックスパワーでさらにもふもふした首まわりの綿毛で、てきを包みこみ、とりこにする。

おぼえるわざ

キョダイホーヨー

イエッサン

YESSAN

オスのすがた

かんじょうポケモン

ずかんばんごう	876
タイプ	エスパー / ノーマル
とくせい	せいしんりょく / シンクロ
たかさ	0.9m
おもさ	28.0kg

かいせつ

頭のツノで、相手の気持ちを感じとる。オスは従者のように、主のそばで世話を焼く。

おぼえるわざ

サイコキネシス、アンコール、パワーシェア

ツノで、近くの生き物の気持ちを感じとる。ポジティブな感情が、力のみなもと。

しんか

イエッサン（オスのすがた）

進化しない

53

イエッサン

YESSAN

メスのすがた

かんじょうポケモン	
ずかんばんごう	**876**
タイプ	エスパー / ノーマル
とくせい	マイペース / シンクロ
たかさ	0.9m
おもさ	28.0kg

かいせつ

感謝の気持ちを集めるため、人やポケモンによくつくす。メスは子守りを得意とするよ。

おぼえるわざ

いやしのねがい、チャームボイス、てだすけ

高い知能をもつポケモン。仲間同士でツノをよせあい、情報交換をする。

しんか

イエッサン
(メスのすがた)

進化しない

イオルブ EOLB

ななほしポケモン

ずかんばんごう	826
タイプ	むし / エスパー
とくせい	むしのしらせ / おみとおし
たかさ	0.4m
おもさ	40.8kg

かいせつ
サイコパワーを放ち、周囲を調べている。観測範囲は、周囲10キロにも達するぞ。

かしこいポケモンとして有名。大きな脳みそは、強力なサイコパワーをもつあかし。

おぼえるわざ
むしのさざめき、サイコキネシス、めいそう

しんか

 サッチムシ → レドームシ → イオルブ

55

イオルブ
キョダイマックスのすがた

KYODAIMAX
EOLB

パワーをふりしぼると、まわりにすべてのものの心を、あやつることができるのだ。

イオルブ

なнаほしポケモン

ずかんばんごう	826
タイプ	むし エスパー
とくせい	むしのしらせ おみとおし
たかさ	14.0m〜
おもさ	???.?kg

かいせつ

脳を中心に巨大化。圧倒的知能と、膨大なサイコエネルギーをもっている。

おぼえるわざ

キョダイテンドウ

イシズマイ　ISHIZUMAI

家にちょうどいい小石が見つからないと、カバルドンのあなに、すんでしまうことも。

いしやどポケモン	
ずかんばんごう	**557**
タイプ	むし いわ
とくせい	がんじょう シェルアーマー
たかさ	0.3m
おもさ	14.5kg

かいせつ

好みの小石にあなを開けて、すみかにする。ダンゴロやタンドンにとっては、天敵。

おぼえるわざ

れんぞくぎり、いわなだれ、むしくい

しんか

イシズマイ → イワパレス

イシツブテ　ISITSUBUTE

がんせきポケモン	
ずかんばんごう	**074**
タイプ	いわ じめん
とくせい	いしあたま がんじょう
たかさ	0.4m
おもさ	20.0kg

山道などに多く生息。気づかずにふみつけると、おこりだすので要注意だ。

かいせつ

長く生きたイシツブテは、角がとれてまんまる。性格も、とても落ちついていて、おだやかなのだ。

おぼえるわざ

まるくなる、じならし、ステルスロック

しんか

イシツブテ → ゴローン → ゴローニャ

58

イシツブテ
アローラのすがた

ALOLA ISITSUBUTE

頭つきで仲間と競いあう。頭の砂鉄は、磁力の強い方にひっついてしまうぞ。

がんせきポケモン

ずかんばんごう	074
タイプ	いわ でんき
とくせい	じりょく がんじょう
たかさ	0.4m
おもさ	20.3kg

かいせつ

石頭は、電気と磁力をおびる。うっかりふんづけると、感電していたい目にあうのだ。

おぼえるわざ

かみなりパンチ、スパーク、いわおとし

しんか

 → →

イシツブテ（アローラのすがた） ゴローン（アローラのすがた） ゴローニャ（アローラのすがた）

イシヘンジン ISHIHENGIN

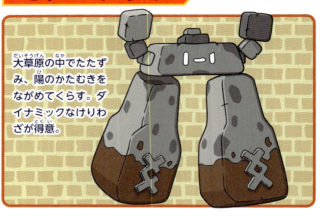

大草原の中でたたずみ、陽のかたむきをながめてくらす。ダイナミックなけりわざが得意。

きょせきポケモン

ずかんばんごう	**874**
タイプ	いわ ……
とくせい	パワースポット ……
たかさ	2.5m
おもさ	520.0kg

かいせつ

1年に一度、きまった日時にどこからともなく集まり、輪になってならぶ習性がある。

おぼえるわざ

いわなだれ、ストーンエッジ、ワイドガード

しんか

イシヘンジン — 進化しない

イトマル

ITOMARU

いとはきポケモン

ずかんばんごう	167
タイプ	むし どく
とくせい	むしのしらせ ふみん
たかさ	0.5m
おもさ	8.5kg

糸をはいてつくった巣は、けっこうがんじょう。10キロの岩を乗せても、やぶれない。

かいせつ

キバの毒は、さほど強くないが、巣にかかって動けない獲物を弱らせるには、充分。

おぼえるわざ

いとをはく、どくばり、クロスポイズン

しんか

イトマル → アリアドス

61

イノムー INOMOO

4本の足は短いが、ひづめは広くギザギザなので、雪の上でもすべらず歩ける。

いのししポケモン

ずかんばんごう ▶ 221

タイプ	こおり / じめん
とくせい	どんかん / ゆきがくれ
たかさ	1.1m
おもさ	55.8kg

かいせつ

相手目がけて突進するとき、背中の体毛がさか立つ。音にものすごく敏感。

おぼえるわざ

こおりのキバ、ふぶき、こごえるかぜ

しんか

ウリムー
→

イノムー
→

マンムー

イベルタル　YVELTAL

はかいポケモン		
ずかんばんごう		**717**
タイプ	あく ひこう	
とくせい	ダークオーラ ……	
たかさ	5.8m	
おもさ	203.0kg	

寿命がつきるとき、あらゆる生き物の命をすいつくし、まゆのすがたにもどるという。

かいせつ
つばさと尾羽を広げて赤くかがやくとき、生き物の命をすいとる伝説のポケモン。

おぼえるわざ
デスウイング、ゴッドバード、あくのはどう

しんか

イベルタル　進化しない

イルミーゼ ILLUMISE

ふくざつなサインをえがくイルミーゼほど、仲間からそんけいされるといわれているよ。

ほたるポケモン

ずかんばんごう	314
タイプ	むし ……
とくせい	どんかん いろめがね
たかさ	0.6m
おもさ	17.7kg

かいせつ

あまいかおりで、*バルビートを引きよせる。たくさん集まったバルビートをゆうどうして、夜空に幾何学的な図形をえがくぞ。

おぼえるわざ

むしのていこう、つきのひかり、ねがいごと

しんか

イルミーゼ　進化しない

*バルビート：「下」にのっているポケモンだよ。

イワーク

大きくじょうぶな体を、くねらせよじらせ、時速80キロで地面をいきおいよくほり進む。

いわへびポケモン	
ずかんばんごう	**095**
タイプ	いわ じめん
とくせい	いしあたま がんじょう
たかさ	8.8m
おもさ	210.0kg

かいせつ
地中をほり進みながら、いろんなかたいものを取りこみ、がんじょうな体をつくる。

おぼえるわざ
しめつける、いわなだれ、アイアンテール

しんか

イワーク → ハガネール

65

イワパレス IWAPALACE

かんそうした場所を好み、雨の日は岩から出ない。なわばり意識が強いぞ。

いわやどポケモン

ずかんばんごう	**558**
タイプ	むし いわ
とくせい	がんじょう シェルアーマー
たかさ	1.4m
おもさ	200.0kg

かいせつ

太いツメが最大の武器。ドサイドンのプロテクターにさえ、ひびを入れるほど、かたいぞ。

おぼえるわざ

ステルスロック、がんせきほう、きりさく

しんか

イシズマイ

イワパレス

イワンコ　IWANKO

こいぬポケモン	
ずかんばんごう	**744**
タイプ	いわ ……
とくせい	するどいめ やるき
たかさ	0.5m
おもさ	9.2kg

かいせつ
よくなつくが、かみぐせがあるので、ずっと育てるには、なかなかほねが折れるぞ。

おぼえるわざ
かみつく、がんせきふうじ、いわおとし

首の岩を地面に打ちつけ、相手をいかく。ひるんだ瞬間に、おそいかかるのだ。

しんか

 イワンコ → ルガルガン（たそがれのすがた） ルガルガン（まひるのすがた） ルガルガン（まよなかのすがた）

67

インテレオン   INTEREON

エージェントポケモン	
ずかんばんごう	**818**
タイプ	みず ……
とくせい	げきりゅう ……
たかさ	1.9m
おもさ	45.2kg

多彩な機能をかくしもつ。指から水をふんしゃして、背中の皮膜で風に乗る。

かいせつ

指先から放つ水鉄砲は、*マッハ3の速さ。*瞬膜で急所を見ぬいて、うちぬくぞ。

おぼえるわざ

ねらいうち、アクアブレイク、みずのはどう

しんか

 ➡ ➡

メッソン　ジメレオン　インテレオン

＊マッハ：速さの単位。マッハ1は音の速さと同じで、秒速340メートル。
＊瞬膜：まぶたの下にある透明な膜。

インテレオン

キョダイマックスのすがた

KYODAIMAX INTEREON

*狙撃の腕前は、ばつぐん。15キロ先に転がる木の実をうちぬくのも、朝飯前だ。

エージェントポケモン

ずかんばんごう	**818**
タイプ	みず ……
とくせい	げきりゅう ……
たかさ	40.0m〜
おもさ	???.?kg

かいせつ

水鉄砲の速度は、マッハ7。頭のとさかで風や気温を感知しながら、ねらいを定める。

おぼえるわざ

キョダイソゲキ

＊狙撃：ねらいを定めて、うつこと。

ウインディ　　WINDIE

でんせつポケモン

ずかんばんごう	**059**
タイプ	ほのお ……
とくせい	いかく もらいび
たかさ	1.9m
おもさ	155.0kg

昔から、多くの人をとりこにした、美しいポケモン。飛ぶように軽やかに走る。

かいせつ

一昼夜で10000キロのきょりをかけぬけるすがたは、多くの人を＊魅了してきた。

おぼえるわざ

かえんほうしゃ、フレアドライブ、しんそく

しんか

 →

ガーディ　　ウインディ

＊魅了：心を引きつけて、夢中にさせること。

ウーラオス

WULAOSU ICHIGEKI NO KATA

いちげきのかた

けんぽうポケモン

ずかんばんごう 892

タイプ	かくとう あく
とくせい	ふかしのこぶし ……
たかさ	1.9m
おもさ	105.0kg

かいせつ

遠い地方の山岳地帯でくらす。だんがいぜっぺきを走り足腰をきたえ、わざをみがく。

一撃必殺が信条。相手のふところに飛びこみ、きたえられたこぶしをたたきこむ。

おぼえるわざ

あんこくきょうだ、きあいパンチ、みきり

しんか

ダクマ ➡ ウーラオス（いちげきのかた）

ウカサタナハマヤラワ

71

ウーラオス

KYODAIMAX WULAOSU ICHIGEKI NO KATA

いちげきのかた・キョダイマックスのすがた

ウーラオス（いちげきのかた）

こぶしから放たれたエネルギーが衝撃波となり、＊ダイマックスしたポケモンを一撃でふき飛ばす。

けんぽうポケモン

ずかんばんごう	**892**
タイプ	かくとう / あく
とくせい	ふかしのこぶし ……
たかさ	29.0m〜
おもさ	???.?kg

かいせつ

いかりの化身とよばれている。すさまじい形相とおたけびで、世界の邪気をはらうという。

おぼえるわざ

キョダイイチゲキ

＊ダイマックス：ガラル地方の一部の場所だけで起きる、ポケモンが大きくなる特別な現象。

ウーラオス
れんげきのかた

WULAOSU
RENGEKI NO KATA

けんぽうポケモン

ずかんばんごう	**892**
タイプ	かくとう みず
とくせい	ふかしのこぶし ……
たかさ	1.9m
おもさ	105.0kg

＊多撃必倒を信条とする。水の流れのようにとぎれなく、打撃わざを相手にたたきこむ。

かいせつ

ときにはげしく、ときにおだやかな川の流れから、かくとうわざの型をあみだしたといわれている。

おぼえるわざ

すいりゅうれんだ、アクアジェット、みきり

しんか

ダクマ　→　ウーラオス（れんげきのかた）

＊多撃必倒：たくさんのこうげきで、必ず相手をたおすこと。

73

ウーラオス

れんげきのかた・キョダイマックスのすがた

KYODAIMAX
WULAOSU
RENGEKI NO KATA

ウーラオス
（れんげきのかた）

いかりをひめた目でにらまれただけで、＊よこしまな心のものは、命をうばわれてしまうという。

けんぽうポケモン

ずかんばんごう	**892**
タイプ	かくとう みず
とくせい	ふかしのこぶし ……
たかさ	26.0m～
おもさ	???.?kg

かいせつ

片足立ちのかまえで、ぴくりとも動かず、キョダイマックスパワーを爆発させるときを待っている。

おぼえるわざ

キョダイレンゲキ

＊よこしま：正しくないこと。

ウールー　WOOLUU

ひつじポケモン	
ずかんばんごう	**831**
タイプ	ノーマル ……
とくせい	もふもふ にげあし
たかさ	0.6m
おもさ	6.0kg

毛がのびすぎると動けない。ウールーの体毛で織られたぬのは、おどろくほどじょうぶ。

かいせつ

パーマのかかった体毛は、高いクッション性がある。がけから落ちても、へっちゃら。

おぼえるわざ

たいあたり、まるくなる、すてみタックル

しんか

ウールー
→

バイウールー

ウォーグル　WARRGLE

ゆうもうポケモン

ずかんばんごう	628
タイプ	ノーマル ひこう
とくせい	するどいめ ちからずく
たかさ	1.5m
おもさ	41.0kg

かいせつ

勇猛で、ほこり高いポケモン。そのゆうしをたたえ、エンブレムのモチーフとして、人気が高い。

血の気が多く、あらっぽいので、ガラルの運び屋の座は、アーマーガアにうばわれた。

おぼえるわざ

ブレイククロー、ブレイブバード、あばれる

 しんか　 ワシボン   ウォーグル

ウオチルドン UOCHILLDON

かせきポケモン

ずかんばんごう	883
タイプ	みず こおり
とくせい	ちょすい アイスボディ
たかさ	2.0m
おもさ	175.0kg

周囲をこおりつかせて、獲物をつかまえるが、口が頭の上にあるので食べづらい。

かいせつ

どんなこうげきにもキズつかない面の皮をもつが、こきゅうが不自由だったため、ぜつめつした。

おぼえるわざ

エラがみ、つららおとし、フリーズドライ

しんか

ウオチルドン

進化しない

77

ウオノラゴン　UONORAGON

かせきポケモン	
ずかんばんごう	882
タイプ	みず ドラゴン
とくせい	ちょすい がんじょうあご
たかさ	2.3m
おもさ	215.0kg

時速60キロをこえる自慢の脚力で走れるが、水中でしか、こきゅうできない。

かいせつ

ずばぬけた脚力とあごの力で、古代では無敵だったが、獲物をとりつくし、ぜつめつした。

おぼえるわざ

エラがみ、りゅうのはどう、ドラゴンダイブ

しんか

ウオノラゴン　進化しない

ウソッキー USOKKIE

まねポケモン

ずかんばんごう	185
タイプ	いわ ……
とくせい	がんじょう いしあたま
たかさ	1.2m
おもさ	38.0kg

お年寄りに人気で、専門誌もあるほど。愛好家は、うでの長さや角度に、こだわるのだ。

かいせつ

おそわれないように、木のまねをする。水が苦手で、雨がふりだすと、いつの間にかすがたを消す。

おぼえるわざ

まねっこ、ウッドハンマー、とおせんぼう

しんか

ウソハチ → ウソッキー

79

ウソハチ USOHACHI

ぼんさいポケモン

ずかんばんごう	**438**
タイプ	いわ ……
とくせい	がんじょう いしあたま
たかさ	0.5m
おもさ	15.0kg

かいせつ

あせとなみだを目から流す。あせはちょっぴりしょっぱくて、なみだはほんのり苦い味だ。

かんそうした岩場にくらす。緑の玉は、かわくほどツヤツヤと、にぶくかがやく。

おぼえるわざ

うそなき、がんせきふうじ、すてみタックル

しんか

ウソハチ → ウソッキー

ウッウ

UU

うのみポケモン

ずかんばんごう	**845**
タイプ	ひこう みず
とくせい	うのミサイル ……
たかさ	0.8m
おもさ	18.0kg

相手を一撃で打ち負かすほどパワフルだが、わすれっぽいので、戦っている相手をわすれる。

かいせつ

食いしんぼうで、エサのサシカマスを丸飲みするが、たまにまちがえて、ほかのポケモンに食らいつく。

おぼえるわざ

のみこむ、はきだす、ハイドロポンプ

しんか

ウッウ

進化しない

ウカサタナハマヤラワ

ウッウ

うのみのすがた

UU

のどにつまらせたサシカマスを、少しのしょうげきでいきおいよくはき出してしまうこともあるのだ。

うのみポケモン

ずかんばんごう	**845**
タイプ	ひこう みず
とくせい	うのミサイル ……
たかさ	0.8m
おもさ	18.0kg

かいせつ

大食らいなので、まるまる太ったサシカマスを飲みこもうとして、のどにつまらせてしまった。

おぼえるわざ

のみこむ、はきだす、ハイドロポンプ

しんか

ウッウ
（うのみのすがた）

進化しない

ウッウ　UU

まるのみのすがた

飲みこまれかけているピカチュウは、びっくりしておとなしくしているが、反撃するすきをねらっている。

うのみポケモン

ずかんばんごう	**845**
タイプ	ひこう みず
とくせい	うのミサイル ……
たかさ	0.8m
おもさ	18.0kg

かいせつ

うっかり、*ピカチュウに食らいついてしまった。のどにつまらせてしまい、苦しいが、あまり気にしていない。

おぼえるわざ

のみこむ、はきだす、ハイドロポンプ

しんか

ウッウ
（まるのみのすがた）

進化しない

＊ピカチュウ：「下」にのっているポケモンだよ。

ウツドン

UTSUDON

おなかがへると、手あたりしだいに動くものを飲みこんでは、*溶解液でとどめをさす。

ハエとりポケモン

ずかんばんごう	**070**
タイプ	くさ どく
とくせい	ようりょくそ ……
たかさ	1.0m
おもさ	6.4kg

かいせつ

夜になると、おしりのフックを木のえだに引っかけてぶら下がり、ねむりにつく。寝相が悪いと、朝、落っこちているよ。

おぼえるわざ

しびれごな、ようかいえき、はっぱカッター

しんか

マダツボミ → ウツドン → ウツボット

＊溶解液：相手をとかしてしまう液。

ウツボット　UTSUBOT

ミツのかおりで、獲物をさそう。口の中に入れたものは、1日でホネまでとかしてしまうという。

ハエとりポケモン	
ずかんばんごう	**071**
タイプ	くさ / どく
とくせい	ようりょくそ……
たかさ	1.7m
おもさ	15.5kg

かいせつ
頭についた長いツルを、小さな生き物のように動かし、獲物をさそう。近づいてきたところを、ぱくりとひとのみ。

おぼえるわざ
グラスミキサー、リーフブレード、のみこむ

しんか

 → →

マダツボミ　ウツドン　ウツボット

ウツロイド UTUROID

ウルトラビーストとよばれる、別世界の生命体。強い神経毒をもっていると考えられる。

きせいポケモン

ずかんばんごう	**793**
タイプ	いわ / どく
とくせい	ビーストブースト ……
たかさ	1.2m
おもさ	55.5kg

かいせつ

ウルトラホールから、この世界にあらわれた。ポケモンや人間に寄生して、生きているようだ。

おぼえるわざ

アシッドボム、ステルスロック、どくびし

しんか

ウツロイド → 進化しない

ウデッポウ UDEPPOU

右うでのハサミの中に
たまるガスの爆発で、
弾丸のように水を発射
し、てきをたおす。

みずでっぽうポケモン

ずかんばんごう	**692**
タイプ	みず ……
とくせい	メガランチャー ……
たかさ	0.5m
おもさ	8.3kg

かいせつ

ハサミは、戦いで取れても
再生される。ハサミの中身は、
ガラルでは珍味として人気だ。

おぼえるわざ

みずでっぽう、みずのはどう、
だくりゅう

しんか

ウデッポウ → ブロスター

87

ウパー

UPAH

みずうおポケモン

ずかんばんごう	**194**
タイプ	みず じめん
とくせい	しめりけ ちょすい
たかさ	0.4m
おもさ	8.5kg

地上を歩くときは、皮膚がかんそうしないように、毒のねんまくで、体をおおっている。

かいせつ

冷たい水の中で生活。あたりがすずしくなると、エサをさがしに、地上にもあらわれる。

おぼえるわざ

みずでっぽう、マッドショット、だくりゅう

しんか　ウパー → ヌオー

ウリムー

URIMOO

いのぶたポケモン

ずかんばんごう	220
タイプ	こおり じめん
とくせい	どんかん ゆきがくれ
たかさ	0.4m
おもさ	6.5kg

いいにおいをかぎつけると、あとさき考えずに、においの方向へダッシュしてしまう。

かいせつ

エサをさがすため、鼻をこすり合わせ、地面をほっている。たまに、温泉をほり当てる。

おぼえるわざ

どろかけ、こごえるかぜ、こおりのつぶて

しんか

ウリムー → イノムー → マンムー

89

ウルガモス ULGAMOTH

もえさかるほのおのまゆから生まれる。古代の壁画に、ほのおの神としてえがかれている。

たいようポケモン

ずかんばんごう 637

タイプ	むし ほのお
とくせい	ほのおのからだ ……
たかさ	1.6m
おもさ	46.0kg

かいせつ

ほのおのりん粉をふりまき、火事を起こすとも、寒さに苦しむものを救うともいう。

おぼえるわざ

ちょうのまい、フレアドライブ、だいもんじ

しんか

メラルバ
→

ウルガモス

エアームド　　AIRMD

ぬけ落ちた羽根から剣がつくられることから、紋章の図案として、人気が高い。

よろいどりポケモン

ずかんばんごう	227
タイプ	はがね ひこう
とくせい	するどいめ がんじょう
たかさ	1.7m
おもさ	50.5kg

かいせつ

するどい羽根は、剣に勝る切れ味。なわばりをめぐって、アーマーガアとはげしく争う。

おぼえるわざ

メタルクロー、ブレイブバード、みだれづき

しんか

エアームド　進化しない

91

エイパム

EIPAM

おながポケモン

ずかんばんごう	190
タイプ	ノーマル ……
とくせい	にげあし ものひろい
たかさ	0.8m
おもさ	11.5kg

力強いしっぽだけで、木のえだにぶら下がって、体をささえることができる。

かいせつ

しっぽでいろんなことをしていたら、手先は不器用になってしまった。高い木の上に、巣をつくる。

おぼえるわざ

しっぽをふる、なげつける、わるだくみ

しんか

エイパム → エテボース

エースバーン ACEBURN

ストライカーポケモン

ずかんばんごう	**815**
タイプ	ほのお ……
とくせい	もうか ……
たかさ	1.4m
おもさ	33.0kg

攻守にすぐれ、おうえんされるとさらにもえるが、*スタンドプレイに走りピンチをまねくこともある。

かいせつ
*小石をリフティングして、ほのおのサッカーボールをつくる。するどいシュートで相手をもやす。

おぼえるわざ
かえんボール、コートチェンジ、フェイント

しんか

ヒバニー → ラビフット → エースバーン

*リフティング：手以外を使って、ボールを落とさずに打ち上げ続けること。
*スタンドプレイ：スポーツなどで、観客にうけるために行うはでなプレイ。

93

エースバーン

キョダイマックスのすがた

KYODAIMAX ACEBURN

エースバーン

エースバーンのもえる闘志が乗りうつったキョダイ火炎ボールは、相手をのがさず、丸焼きにする。

ストライカーポケモン

ずかんばんごう ▶ **815**

タイプ	ほのお ……
とくせい	もうか ……
たかさ	27.0m〜
おもさ	???.?kg

かいせつ

キョダイマックスのパワーによって、火炎のボールは、直径100メートルをこえることもある。

おぼえるわざ

キョダイカキュウ

エーフィ

EIFIE

たいようポケモン

ずかんばんごう	> 196
タイプ	エスパー ……
とくせい	シンクロ ……
たかさ	0.9m
おもさ	26.5kg

ひたいのたまから、サイコパワーを放射して戦う。パワーがつきると、たまの色がくすむ。

かいせつ

空気の流れを読みとることで、これからの天気や相手の動きなどを、すべて当ててしまう。

おぼえるわざ

ねんりき、サイケこうせん、サイコキネシス

しんか

イーブイ

エーフィ

95

エテボース　ETEBOTH

おながポケモン

ずかんばんごう	**424**
タイプ	ノーマル ……
とくせい	テクニシャン ものひろい
たかさ	1.2m
おもさ	20.3kg

なにをするにもしっぽを使う。2本のしっぽでだきしめられたら、本当になつかれたあかし。

かいせつ

居心地の良い木をめぐって、*ナゲツケサルのグループと、なわばりを争っている。結果は5分だ。

おぼえるわざ

ダブルアタック、みだれひっかき、くすぐる

しんか

 →

エイパム　　エテボース

*ナゲツケサル：「下」にのっているポケモンだよ。

エネコ　ENECO

こねこポケモン

ずかんばんごう	300
タイプ	ノーマル ……
とくせい	メロメロボディ ノーマルスキン
たかさ	0.6m
おもさ	11.0kg

野生は、森の樹木のあなでくらす。愛くるしい顔で、ペットとして大人気。

かいせつ

動くものを見つけると、夢中になって追いかけ回す習性をもつポケモン。自分のしっぽを追いかけて、目を回す。

おぼえるわざ

ねこだまし、チャームボイス、ねこのて

しんか

エネコ → エネコロロ

エネコロロ ENEKORORO

決まったすみかをもたずにくらすポケモン。ほかのポケモンがねどこに近よってきても、決して争わず、ねる場所を変える。

おすましポケモン

ずかんばんごう	301
タイプ	ノーマル……
とくせい	メロメロボディ ノーマルスキン
たかさ	1.1m
おもさ	32.6kg

かいせつ

マイペースで、自由気ままなくらしを好む。気の向くままエサを食べたりねむったりしているので、1日のリズムがバラバラだ。

おぼえるわざ

メロメロ、ねこだまし、おうふくビンタ

しんか

 →
エネコ　　エネコロロ

エビワラー EBIWALAR

うでをねじりながらくり出すパンチは、コンクリートも粉砕。3分戦うと、一休みする。

パンチポケモン

ずかんばんごう	**107**
タイプ	かくとう ……
とくせい	するどいめ てつのこぶし
たかさ	1.4m
おもさ	50.2kg

かいせつ

空気を切りさくパンチ。かすっただけでやけどになるほど、パンチのスピードは速いのだ。

おぼえるわざ

バレットパンチ、インファイト、カウンター

しんか

バルキー
→

エビワラー

エムリット EMRIT

かんじょうポケモン

ずかんばんごう	**481**
タイプ	エスパー ……
とくせい	ふゆう ……
たかさ	0.3m
おもさ	0.3kg

湖の底でねむっているが、たましいがぬけ出して、水面を飛び回るといわれている。

かいせつ

悲しみの苦しさと、喜びのとうとさを、人びとに教えた。感情の神とよばれている。

おぼえるわざ

いやしのねがい、サイケこうせん、ふういん

しんか

エムリット 進化しない

100

エモンガ　EMONGA

モモンガポケモン

ずかんばんごう	587
タイプ	でんき ひこう
とくせい	せいでんき ……
たかさ	0.4m
おもさ	5.0kg

電気をほとばしらせながら、空をまうように飛ぶ。かわいいが、やっかいなのだ。

かいせつ

あまい木の実が、大好物。ほおぶくろにエサをためすぎ、うまく飛べないときもある。

おぼえるわざ

でんきショック、ほっぺすりすり、スパーク

しんか   進化しない

エモンガ

101

エリキテル ERIKITERU

太陽発電のしくみをもつ。発電をじゃまされると、ストレスで弱ってしまう。

はつでんポケモン

ずかんばんごう	**694**
タイプ	でんき ノーマル
とくせい	かんそうはだ すながくれ
たかさ	0.5m
おもさ	6.0kg

かいせつ

頭のひだを広げ、太陽の光で発電すると、パワフルな電気わざを出せるようになる。

おぼえるわざ

どろかけ、でんきショック、でんこうせっか

しんか

エリキテル → エレザード

エルフーン ELFUUN

かぜかくれポケモン

ずかんばんごう	**547**
タイプ	くさ / フェアリー
とくせい	いたずらごころ / すりぬけ
たかさ	0.7m
おもさ	6.6kg

かいせつ

日の光を浴びるたび、わたがふくらんでいく。ふくらみすぎると、ちぎって、あたりにまき散らす。

わたをまき散らし、いたずらする。水をかけると、重くなって動けなくなり、観念するぞ。

おぼえるわざ

コットンガード、ソーラービーム、ぼうふう

しんか

 →

モンメン → エルフーン

＊観念：あきらめること。

103

エルレイド

ERUREIDO

やいばポケモン

ずかんばんごう	**475**
タイプ	エスパー かくとう
とくせい	ふくつのこころ ……
たかさ	1.6m
おもさ	52.0kg

助けを求める感情を、敏感にキャッチ。
相手のもとへはせ参じ、加勢するぞ。

かいせつ

武人とよばれるポケモン。なにかを守るためでなければ、ひじの刀は使わない。

おぼえるわざ

サイコカッター、インファイト、きりさく

しんか

 → →

ラルトス　キルリア（オス）　エルレイド

メガエルレイド

MEGA ERUREIDO

だれかを守ろうとしたとき、ひじをのばし、刀のように変化させて、はげしく戦う。

やいばポケモン

ずかんばんごう	475
タイプ	エスパー かくとう
とくせい	せいしんりょく ……
たかさ	1.6m
おもさ	56.4kg

かいせつ

相手の考えを敏感にキャッチする能力をもつため、先にこうげきができるのだ。

おぼえるわざ

サイコカッター、インファイト、リーフブレード

105

エレキッド ELEKID

あらしが近づくと、落ちつきがなくなる。かみなりの音が聞こえると、たまらずさわぎだす。

でんきポケモン

ずかんばんごう	**239**
タイプ	でんき ……
とくせい	せいでんき ……
たかさ	0.6m
おもさ	23.5kg

かいせつ

まだ、電気をためるのが下手。電気を食べるために民家にしのびこみ、コンセントをさがす。

おぼえるわざ

でんこうせっか、かみなりパンチ、でんじは

しんか

エレキッド → エレブー → エレキブル

エレキブル　ELEKIBLE

らいでんポケモン

ずかんばんごう	**466**
タイプ	でんき ……
とくせい	でんきエンジン ……
たかさ	1.8m
おもさ	138.6kg

発電量は、でんきポケモン最高クラス。しっぽの先から、高圧電流を放電する。

かいせつ

発電量は、心拍数と比例する。戦いになると、一気に*ボルテージが上がるのだ。

おぼえるわざ

でんげきは、10まんボルト、かみなり

しんか

エレキッド → エレブー → エレキブル

*ボルテージ：電圧。

107

エレザード

ELEZARD

えりまきを広げて太陽光を浴びると、大都会で使われる電気を、1ぴきで発電する。

はつでんポケモン

ずかんばんごう	**695**
タイプ	でんき ノーマル
とくせい	かんそうはだ すながくれ
たかさ	1.0m
おもさ	21.0kg

かいせつ

電気で筋肉をしげきすると、100メートルを5秒で走る脚力にパワーアップする。

おぼえるわざ

パラボラチャージ、そうでん、かいでんぱ

しんか

エリキテル

エレザード

108

エレズン　ELESON

あかごポケモン	
ずかんばんごう	848
タイプ	でんき / どく
とくせい	びびり / せいでんき
たかさ	0.4m
おもさ	11.0kg

体内の毒ぶくろにためた毒素を、皮膚から分泌。

かいせつ
毒素を化学変化させて、電気を出す。電力は弱いが、ビリビリとしびれる。

おぼえるわざ
ほっぺすりすり、じたばた、ようかいえき

しんか

エレズン → ストリンダー（ハイなすがた）／ストリンダー（ローなすがた）

109

エレブー　ELEBOO

電気をねらうエレブーの対策に、じめんポケモンを置く発電所は多い。

でんげきポケモン	
ずかんばんごう	125
タイプ	でんき……
とくせい	せいでんき……
たかさ	1.1m
おもさ	30.0kg

かいせつ

あらしが来ると、高い木のまわりに集まり、かみなりが落ちるのをじっと待ち続ける。

おぼえるわざ

でんきショック、かみなりパンチ、ほうでん

しんか

 エレキッド → エレブー → エレキブル

エンテイ　ENTEI

かざんポケモン

ずかんばんごう	**244**
タイプ	ほのお ……
とくせい	プレッシャー ……
たかさ	2.1m
おもさ	198.0kg

エンテイがほえると、世界のどこかの火山が噴火するといわれている。

かいせつ

マグマの情熱を宿したポケモン。火山の噴火から生まれたと考えられ、すべてを焼きつくすほのおを、ふき上げる。

おぼえるわざ

せいなるほのお、だいもんじ、かえんぐるま

しんか

エンテイ　進化しない

111

エンニュート　ENNEWT

エンニュート同士の争いは、引き連れているオスのヤトウモリの数で、勝敗が決まるらしい。

どくトカゲポケモン

ずかんばんごう	**758**
タイプ	どく ほのお
とくせい	ふしょく ……
たかさ	1.2m
おもさ	22.2kg

かいせつ

エンニュートは、メスしかいない。*フェロモンガスを発生させて、オスの*ヤトウモリを*魅了する。

おぼえるわざ

ほのおのムチ、どくどくのキバ、やきつくす

しんか

ヤトウモリ（メス）　→　エンニュート

*フェロモン：動物が仲間に対して出す物質。　*ヤトウモリ：「下」にのっているポケモンだよ。　*魅了：心を引きつけて、夢中にさせること。

エンブオー ENBUOH

おおひぶたポケモン	
ずかんばんごう	**500**
タイプ	ほのお かくとう
とくせい	もうか ……
たかさ	1.6m
おもさ	150.0kg

かいせつ

ほのおのあごヒゲを、たくわえている。パワーとスピードをかねそなえた、かくとうのわざを身につけている。

あごのほのおでこぶしをもやして、ほのおのパンチをくり出す。とても仲間思いのポケモン。

おぼえるわざ

アームハンマー、かえんほうしゃ、とっしん

しんか

 ポカブ → チャオブー →   エンブオー

エンペルト　EMPERTE

こうていポケモン

ずかんばんごう	**395**
タイプ	みず / はがね
とくせい	げきりゅう ……
たかさ	1.7m
おもさ	84.5kg

クチバシからのびている3本のツノは、強さの象徴。リーダーが、一番大きい。

かいせつ

ジェットスキーに負けない速度で泳ぐ。つばさのへりはするどく、流氷を切断する。

おぼえるわざ

アクアジェット、ハイドロポンプ、うずしお

しんか

 → →

ポッチャマ　ポッタイシ　エンペルト

114

オオスバメ OHSUBAME

ツバメポケモン

ずかんばんごう	277
タイプ	ノーマル ひこう
とくせい	こんじょう ……
たかさ	0.7m
おもさ	19.8kg

かいせつ
ツヤのある羽の手入れはおこたらない。オオスバメが2ひき集まると、必ずおたがいの羽を、きれいに手入れするぞ。

はるか上空を円をえがくように飛び回り、獲物を見つけると急降下。足のツメで、がっしりつかんでにがさない。

おぼえるわざ
つばめがえし、エアスラッシュ、きあいだめ

しんか

スバメ →

オオスバメ

115

オーダイル

ORDILE

おおあごポケモン

ずかんばんごう	160
タイプ	みず ……
とくせい	げきりゅう ……
たかさ	2.3m
おもさ	88.8kg

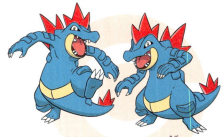

ふだんはゆっくりとした動きだが、獲物にかみつくときは、目にも止まらないスピードだ。

かいせつ

大きな口を開けて、相手をいかくする。強靭な後ろ足で地面をけって、ものすごいスピードで突進してくるぞ。

おぼえるわざ

ハイドロポンプ、あばれる、ばかぢから

しんか

ワニノコ → アリゲイツ → オーダイル

オオタチ　OOTACHI

母親は、細長い体で子供を包みこみ、ねむらせる。速い動きで、てきを追いこむ。

どうながポケモン

ずかんばんごう	162
タイプ	ノーマル……
とくせい	にげあし するどいめ
たかさ	1.8m
おもさ	32.5kg

かいせつ

てきにおそわれても、細いすきまにするりともぐりこんで、にげることができる。手足は短いが、とてもすばしっこい。

おぼえるわざ

こうそくいどう、ハイパーボイス、さきどり

しんか

オタチ → オオタチ

オーベム OHBEM

相手の記憶を操作できる。麦畑の上をさまようすがたが、ときおり目撃される。

ブレインポケモン

ずかんばんごう	**606**
タイプ	エスパー ……
とくせい	テレパシー シンクロ
たかさ	1.0m
おもさ	34.5kg

かいせつ

・オーベムがあらわれた牧場からは、いつの間にかバイウールーが1ぴき、すがたを消してしまう。

おぼえるわざ

サイケこうせん、じこさいせい、めいそう

しんか

 →
リグレー　　オーベム

118　＊バイウールー：「下」にのっているポケモンだよ。

オーロット　OHROT

足の先から細い根っこをのばして、森のたくさんの木と結びつき、自在にあやつる力をもつ。

ろうぼくポケモン

ずかんばんごう	**709**
タイプ	ゴースト　くさ
とくせい	しぜんかいふく　おみとおし
たかさ	1.5m
おもさ	71.0kg

かいせつ

森の木をきりたおす人間を食べるとおそれられているが、森でくらすポケモンたちにはやさしい。

おぼえるわざ

シャドークロー、せいちょう、もりののろい

しんか

ボクレー　→　オーロット

オーロンゲ OHLONGE

ビルドアップポケモン	
ずかんばんごう	861
タイプ	あく フェアリー
とくせい	いたずらごころ おみとおし
たかさ	1.5m
おもさ	61.0kg

かみの毛は筋肉せんいのように働き、ほどけると、触手の動きで相手をからめとる。

かいせつ

かみの毛を全身にまきつけると、筋力がアップ。カイリキーをねじふせるパワーを発揮する。

おぼえるわざ

ソウルクラッシュ、アームハンマー、いばる

しんか

  → →

ベロバー　ギモー　オーロンゲ

オーロンゲ

キョダイマックスのすがた

KYODAIMAX OHLONGE

キョダイマックスにより、全身の毛量がアップ。世界一高いビルをジャンプでこえる。

ビルドアップポケモン

ずかんばんごう	861
タイプ	あく フェアリー
とくせい	いたずらごころ おみとおし
たかさ	32.0m 〜
おもさ	???.?kg

かいせつ

足の体毛を変形させてくり出すドリルキックは、ガラルの大地に、大あなを開けてしまう。

おぼえるわざ

キョダイスイマ

オクタン　OKUTANK

がんじょうな石頭。吸盤つきの足をからませ、ひたすら頭で打ちすえる。

ふんしゃポケモン

ずかんばんごう	**224**
タイプ	みず ……
とくせい	きゅうばん スナイパー
たかさ	0.9m
おもさ	28.5kg

かいせつ

あなに入りたがる性質で、ほかのポケモンがつくった巣穴を、横取りしてねむる。

おぼえるわざ

オクタンほう、ハイドロポンプ、みずびたし

しんか

テッポウオ　→　オクタン

オコリザル　OKORIZARU

おこらせた相手をゆるさず、追い続ける。たたきのめして動かなくなっても、まだゆるさない。

ぶたざるポケモン

ずかんばんごう	**057**
タイプ	かくとう ……
とくせい	やるき いかりのつぼ
たかさ	1.0m
おもさ	32.0kg

かいせつ

まわりにだれもいないときだけは、おこるのをやめている。しかし、それを見るのはむずかしい。

おぼえるわざ

あばれる、ちきゅうなげ、からてチョップ

しんか

マンキー　→　オコリザル

123

オシャマリ OSYAMARI

波のおだやかな夜に なると、リーダーの アシレーヌの歌声に 合わせて、仲間たち とおどる。

アイドルポケモン	
ずかんばんごう	**729**
タイプ	みず ……
とくせい	げきりゅう ……
たかさ	0.6m
おもさ	17.5kg

かいせつ

ダンスのステップでてきの わざをかわしながら、バルー ンを次つぎとつくって、こう げきをたたみかける。

おぼえるわざ

アクアジェット、バブルこう せん、うたう

しんか

  →   →

アシマリ　　オシャマリ　　アシレーヌ

オタチ OTACHI

みはりポケモン		
ずかんばんごう		**161**
タイプ	ノーマル……	
とくせい	にげあし するどいめ	
たかさ	0.8m	
おもさ	6.0kg	

見張り役は、するどく鳴いたりしっぽで地面をたたいたりして、仲間にきけんを知らせる。

かいせつ

ねむるときには、交代で見張りをする。きけんを察知すると、仲間をおこすのだ。むれからはぐれると、こわくてねむれなくなる。

おぼえるわざ

みやぶる、バトンタッチ、でんこうせっか

しんか

オタチ →
オオタチ

125

オタマロ OTAMARO

きれいな波紋が広がる水の下では、オタマロが、かん高い声で鳴いている。

おたまポケモン

ずかんばんごう	535
タイプ	みず ……
とくせい	すいすい うるおいボディ
たかさ	0.5m
おもさ	4.5kg

かいせつ

音波で、仲間と連絡する。けいかいの鳴き声は、人やほかのポケモンには、聞こえない。

おぼえるわざ

なきごえ、エコーボイス、ようかいえき

しんか：オタマロ → ガマガル → ガマゲロゲ

126

オドシシ ODOSHISHI

ツノを見つめていると、輪っかの中心にすいこまれそうな不思議な気分になってしまう。

おおツノポケモン

ずかんばんごう	**234**
タイプ	ノーマル ……
とくせい	いかく おみとおし
たかさ	1.4m
おもさ	71.2kg

かいせつ
見事な形のツノは、美術品として高く売れたために、ぜつめつ寸前まで*乱獲されたことのあるポケモン。

おぼえるわざ
とっしん、しねんのずつき、あやしいひかり

しんか

オドシシ

進化しない

＊乱獲：必要以上にとること。

127

オトスパス OTOSUPUS

じゅうじゅつポケモン

ずかんばんごう **853**

タイプ	かくとう......
とくせい	じゅうなん......
たかさ	1.6m
おもさ	39.0kg

全身が筋肉のかたまり。触手を使ってくり出すしめわざの威力は、すさまじい。

かいせつ

おのれのうでを試すべく陸に上がり、対戦相手をさがす。戦い終えると、海に帰る。

おぼえるわざ

たこがため、じごくぐるま、オクタンほう

しんか

 →

タタッコ　オトスパス

オドリドリ
ぱちぱちスタイル

ODORIDORI
PACHIPACHI STYLE

陽気なダンスでてきの心をもり上げて、油断したところに電撃を浴びせ感電させる。

ダンスポケモン	
ずかんばんごう	**741**
タイプ	でんき ひこう
とくせい	おどりこ ……
たかさ	0.6m
おもさ	3.4kg

かいせつ
やまぶきのミツをすったオドリドリ。元気のない人を見かけると、ダンスではげまそうとしてくれるよ。

おぼえるわざ
めざめるダンス、オウムがえし、ぼうふう

しんか

進化しない

オドリドリ（ぱちぱちスタイル）

オドリドリ
ふらふらスタイル

ODORIDORI
FURAFURA STYLE

ゆうがなダンスでてきの心をリラックスさせ、油断したところに、サイコパワーを浴びせかける。

ダンスポケモン

ずかんばんごう	**741**
タイプ	エスパー ひこう
とくせい	おどりこ ……
たかさ	0.6m
おもさ	3.4kg

かいせつ

うすもものミツをすったオドリドリ。おどっているときは、トレーナーの指示が聞こえないほどマイペース。

おぼえるわざ

めざめるダンス、こうそくいどう、ゆうわく

しんか

進化しない

オドリドリ（ふらふらスタイル）

オドリドリ
まいまいスタイル

ODORIDORI MAIMAI STYLE

みやびなダンスでてきの心を魅了して、油断したところに、死をまねくのろいを浴びせかける。

ダンスポケモン

ずかんばんごう	**741**
タイプ	ゴースト ひこう
とくせい	おどりこ ……
たかさ	0.6m
おもさ	3.4kg

かいせつ

むらさきのミツをすったオドリドリ。しなやかであでやかなおどりを参考にするダンサーもいる。

おぼえるわざ

めざめるダンス、フラフラダンス、てだすけ

しんか

オドリドリ（まいまいスタイル）

進化しない

＊あでやか：はなやかで美しいこと。　＊みやび：上品で美しいこと。
＊魅了：心を引きつけて、夢中にさせること。

オドリドリ
めらめらスタイル

ODORIDORI MERAMERA STYLE

情熱的なダンスでてきの心をつかみ、油断したすきに、もえさかるほのおで焼きつくす。

ダンスポケモン

ずかんばんごう	**741**
タイプ	ほのお ひこう
とくせい	おどりこ ……
たかさ	0.6m
おもさ	3.4kg

かいせつ

くれないのミツをすったオドリドリ。トレーナーが指示をまちがえると、はげしくおこる激情家だ。

おぼえるわざ

めざめるダンス、エアカッター、はねやすめ

しんか

オドリドリ（めらめらスタイル） 進化しない

オニゴーリ　ONIGOHRI

ほのおでもとけない氷の体。空気中の水分を、一瞬でこおらせてしまう。

がんめんポケモン

ずかんばんごう	**362**
タイプ	こおり ……
とくせい	せいしんりょく アイスボディ
たかさ	1.5m
おもさ	256.5kg

かいせつ

さほどかたくない岩が本体。空気中の水分をこおらせ、氷の*装甲を身にまとう。

おぼえるわざ

ぜったいれいど、フリーズドライ、ふぶき

しんか

 →

ユキワラシ　　オニゴーリ

＊装甲：鎧。

メガオニゴーリ

MEGA ONIGOHRI

オニゴーリ

くだけた口から、すさまじい冷気をはくと、あたり一帯はホワイトアウトにおちいってしまう。

がんめんポケモン

ずかんばんごう	362
タイプ	こおり……
とくせい	フリーズスキン……
たかさ	2.1m
おもさ	350.2kg

かいせつ

メガシンカのパワーが強すぎて、あごがくだけてしまった。うまくエサを食べられずに、いら立っている。

おぼえるわざ

フリーズドライ、ぜったいれいど、こおりのいぶき

＊ホワイトアウト：雪がはげしくふり、目の前が真っ白になり、方向や地形がわからなくなること。

オニシズクモ ONISHIZUKUMO

足で水泡を飛ばして獲物を包みこみ、おぼれさせる。時間をかけて味わうのだ。

すいほうポケモン

ずかんばんごう	**752**
タイプ	みず / むし
とくせい	すいほう ……
たかさ	1.8m
おもさ	82.0kg

かいせつ

頭の水泡の中にシズクモを入れて、エサの残りを食べさせながら、世話をするのだ。

おぼえるわざ

アクアブレイク、かみくだく、きゅうけつ

しんか

シズクモ → オニシズクモ

135

オニスズメ ONISUZUME

高く飛ぶのは苦手。なわばりを守るために、もうスピードで飛び回っている。

ことりポケモン	
ずかんばんごう	**021**
タイプ	ノーマル ひこう
とくせい	するどいめ ……
たかさ	0.3m
おもさ	2.0kg

かいせつ

自分のテリトリーを守るためなら、大きなポケモンが相手でも向かっていく、向こう見ずな性質。

おぼえるわざ

つつく、こうそくいどう、つばめがえし

しんか

オニスズメ →
オニドリル

オニドリル

ONIDRILL

昔からすんでいるポケモン。少しでもきけんを感じると、空高く飛んでいってしまう。

くちばしポケモン

ずかんばんごう	**022**
タイプ	ノーマル ひこう
とくせい	するどいめ ……
たかさ	1.2m
おもさ	38.0kg

かいせつ

オニドリルのなわばりで、食べ物をもって歩くのはきけんだ。あっという間に、かっさらわれるぞ。

おぼえるわざ

ドリルライナー、ドリルくちばし、おいうち

しんか

 →

オニスズメ　　オニドリル

137

オノノクス ONONOKUS

あごオノポケモン

ずかんばんごう	612
タイプ	ドラゴン ……
とくせい	とうそうしん かたやぶり
たかさ	1.8m
おもさ	105.5kg

がんじょうな大キバが自慢。強度をたもつため、土をなめてミネラルを補給する。

かいせつ

温厚な性質だが、おこるとこわい。鉄骨をも切りさく自慢のキバを、おみまいするぞ。

おぼえるわざ

ダブルチョップ、ハサミギロチン、げきりん

しんか

キバゴ
→

オノンド
→

オノノクス

＊ミネラル：体に必要なカルシウム、マグネシウム、ナトリウムなどの栄養素。

オノンド　ONONDO

鎧のようにかたい皮膚。体当たりと同時に、キバをつきさす戦法が得意だぞ。

あごオノポケモン

ずかんばんごう	**611**
タイプ	ドラゴン……
とくせい	とうそうしん かたやぶり
たかさ	1.0m
おもさ	36.0kg

かいせつ

キバは、折れると二度と生えない。戦いが終わると河原の岩でていねいに研ぐ。

おぼえるわざ

りゅうのはどう、かみくだく、つるぎのまい

しんか

 → →

キバゴ　　オノンド　　オノノクス

139

オムスター

OMSTAR

するどいキバは岩もくだくが、触手のとどく範囲の獲物しかおそえないのだ。

うずまきポケモン	
ずかんばんごう	**139**
タイプ	いわ みず
とくせい	すいすい シェルアーマー
たかさ	1.0m
おもさ	35.0kg

かいせつ

大きく重いカラのせいで動きがにぶくなり、獲物をとれずにぜつめつしたという。

おぼえるわざ

かみくだく、ハイドロポンプ、からをやぶる

しんか

オムナイト
→

オムスター

オムナイト　OMNITE

ぜつめつした古代の ポケモン。10本の足 で水をかき、ただよ うように泳ぐ。

うずまきポケモン

ずかんばんごう	**138**
タイプ	いわ みず
とくせい	すいすい シェルアーマー
たかさ	0.4m
おもさ	7.5kg

かいせつ

復元されたあと、にげだし たり、にがしてしまうものが いるため、問題になりつつあ るのだ。

おぼえるわざ

からにこもる、げんしのちか ら、なみのり

しんか

オムナイト　→　オムスター

141

オンバーン ONVERN

らんぼうな性質だが、好物のじゅくした果物をあげると、手のひらを返したようになつく。

おんぱポケモン

ずかんばんごう	715
タイプ	ひこう ドラゴン
とくせい	おみとおし すりぬけ
たかさ	1.5m
おもさ	85.0kg

かいせつ

暗闇でなにもできないてきを、念入りにいためつける。血の気が多く、残忍な性質。

おぼえるわざ

りゅうのはどう、ばくおんぱ、ふきとばし

しんか

 →

オンバット　　オンバーン

オンバット　ONBAT

エサとなる果物をさがして飛び回る。じゅくしているかを超音波で判別できるぞ。

おんぱポケモン

ずかんばんごう	714
タイプ	ひこう ドラゴン
とくせい	おみとおし すりぬけ
たかさ	0.5m
おもさ	8.0kg

かいせつ

日がくれると、すみかのどうくつをはなれて飛び回り、完熟の果物を超音波*でさがす。

おぼえるわざ

すいとる、つばさでうつ、ちょうおんぱ

しんか

オンバット → オンバーン

*超音波：人間の耳には聞こえない高い音。

143

ガーディ　GARDIE

こいぬポケモン	
ずかんばんごう	**058**
タイプ	ほのお ……
とくせい	いかく もらいび
たかさ	0.7m
おもさ	19.0kg

忠実な性格で、＊親のトレーナーを守るため、必死に相手にほえかかる。

かいせつ

自分より強くて大きな相手にも、おそれずに立ち向かう、勇敢でたのもしい性格。

おぼえるわざ

ひのこ、ほのおのキバ、こうそくいどう

しんか

ガーディ　→　ウインディ

＊親のトレーナー：自分のトレーナーのこと。

ガーメイル　GAMALE

花のミツが大好き。ミツハニーの集めたミツを横取りして、食べてしまう。

ミノガポケモン

ずかんばんごう	**414**
タイプ	むし ひこう
とくせい	むしのしらせ ……
たかさ	0.9m
おもさ	23.3kg

かいせつ

夜中、活発に飛び回り、ねむっている*ミツハニーの巣から、ミツをうばってにげる。

おぼえるわざ

ちょうのまい、サイコキネシス、どくのこな

しんか

ミノムッチ（オス） → ガーメイル

*ミツハニー：「下」にのっているポケモンだよ。

145

カイオーガ KYOGRE

かいていポケモン

ずかんばんごう 382

タイプ	みず ……
とくせい	あめふらし ……
たかさ	4.5m
おもさ	352.0kg

大雨をふらせる能力で、海を広げたといわれている。海溝の底でねむっていた。

かいせつ

海の化身と伝わるポケモン。自然のエネルギーを求めて、グラードンと争いをくり返したという伝説がある。

おぼえるわざ

しおふき、ハイドロポンプ、みずのはどう

しんか

カイオーガ　進化しない

ゲンシカイオーガ

GENSHI KYOGRE

大雨と大津波で海を広げた、神話のポケモン。グラードンとはげしく戦った。

カイオーガ

アカサタナハマヤラワ

かいていポケモン

ずかんばんごう	**382**
タイプ	みず ……
とくせい	はじまりのうみ ……
たかさ	9.8m
おもさ	430.0kg

かいせつ

自然のエネルギーによってゲンシカイキし、本来のすがたを取りもどす。その力は、あらしをよびよせ、海を広げる。

おぼえるわざ

こんげんのはどう、ぜったいれいど、ハイドロポンプ

147

カイリキー　KAIRIKY

かいりきポケモン

ずかんばんごう	**068**
タイプ	かくとう ……
とくせい	こんじょう ノーガード
たかさ	1.6m
おもさ	130.0kg

かいせつ
4本のうでをすばやく動かし、あらゆる角度から、休むことなくパンチやチョップをたたきこむ。

おぼえるわざ
かいりき、ばくれつパンチ、クロスチョップ

4本のうででは、考えるより早く反射的に動き、何発ものパンチをくり出せる。

しんか

ワンリキー　ゴーリキー　カイリキー

カイリキー

KYODAIMAX KAIRIKY

キョダイマックスのすがた

けたはずれにアップした怪力（かいりき）で、こまっている大型船（おおがたせん）をかつぎ、港（みなと）まで運（はこ）んだことがある。

かいりきポケモン

ずかんばんごう	068
タイプ	かくとう ……
とくせい	こんじょう ノーガード
たかさ	25.0m〜
おもさ	???.?kg

かいせつ

キョダイマックスのパワーがうでにみなぎり、爆弾（ばくだん）にひってきする破壊力（はかいりょく）のパンチをくり出（だ）す。

おぼえるわざ

キョダイシンゲキ

アカサタナハマヤラワ

149

カイリュー KAIRYU

ドラゴンポケモン	
ずかんばんごう	**149**
タイプ	ドラゴン ひこう
とくせい	せいしんりょく ……
たかさ	2.2m
おもさ	210.0kg

海の化身とよばれる。カイリュー型の
＊彫像を＊舳先につける船も多い。

かいせつ

おぼれている人やポケモンを見つけると、助けずにはいられない、心やさしいポケモン。

おぼえるわざ

はかいこうせん、ドラゴンダイブ、ぼうふう

しんか

ミニリュウ ➡
ハクリュー ➡

カイリュー

150 ＊彫像：木、石、金属などをほって、にた姿をつくったもの。
＊舳先：船の前の方の部分。

カイロス / KAILIOS

ツノでたがいを格付けする。太く立派なツノをもつカイロスほど、異性に人気。

くわがたポケモン

ずかんばんごう	127
タイプ	むし ……
とくせい	かいりきバサミ かたやぶり
たかさ	1.5m
おもさ	55.0kg

かいせつ

ツノで獲物をはさみこみ、そのまま真っ二つにするか、強引に投げ飛ばしてしまう。

おぼえるわざ

ハサミギロチン、かいりき、シザークロス

しんか

カイロス → 進化しない

*格付け：強さや能力などの上下を決めること。
*異性：オスからみてメス、メスからみてオスのこと。

151

メガカイロス

MEGA KAILIOS

自慢のツノで、自分の10倍も重たい相手を軽がる持ち上げ、飛び回る。

カイロス

くわがたポケモン

ずかんばんごう	**127**
タイプ	むし ひこう
とくせい	スカイスキン ……
たかさ	1.7m
おもさ	59.0kg

かいせつ

メガシンカし、飛べるようになった。よほどうれしいのか、めったに地上にはおりてこないぞ。

おぼえるわざ

ハサミギロチン、じごくぐるま、ダブルアタック

カエンジシ KAENJISHI

おうじゃポケモン

ずかんばんごう	668
タイプ	ほのお ノーマル
とくせい	とうそうしん きんちょうかん
たかさ	1.5m
おもさ	81.5kg

オス

メス

かいせつ
オスは、ふだんだらだらしているが、強敵がおそってくると、わが身をかえりみず仲間を守るぞ。

おぼえるわざ
かえんほうしゃ、オーバーヒート、とっしん

＊摂氏6000度の息をはくが、獲物には使わない。肉は生のほうが好みだから。

しんか

 →

シシコ　　カエンジシ

＊摂氏：セ氏温度目盛り。

153

ガオガエン GAOGAEN

ヒールポケモン

ずかんばんごう	727
タイプ	ほのお あく
とくせい	もうか ……
たかさ	1.8m
おもさ	83.0kg

らんぼうなふるまいも目につくが、小さいポケモンを助けるやさしい一面ももっている。

かいせつ

摂氏2000度をこえるほのおを、へそからふき出す。ルール無用のらんぼうな戦いが得意。

おぼえるわざ

DDラリアット、フレアドライブ、いばる

しんか

ニャビー

ニャヒート

ガオガエン

＊摂氏：セ氏温度目盛り。

カクレオン KAKUREON

いろへんげポケモン

ずかんばんごう	352
タイプ	ノーマル ……
とくせい	へんしょく ……
たかさ	1.0m
おもさ	22.0kg

かいせつ
体の色を変えて、景色にとけこむ。長くかまわないでいると、すねてすがたを見せなくなる。

おぼえるわざ
だましうち、フェイント、みだれひっかき

かくれるとき以外にも、気分や調子で体の色が変わる。色がこいときほど、元気だぞ。

しんか

カクレオン　進化しない

アカサタナハマヤラワ

155

カゲボウズ　KAGEBOUZU

にんぎょうポケモン

ずかんばんごう	353
タイプ	ゴースト ……
とくせい	ふみん おみとおし
たかさ	0.6m
おもさ	2.3kg

うらみ、ねたみ、そねみのような感情を食べるので、人によっては、ありがたいそんざいだ。

かいせつ

日ぐれにカゲボウズがならぶような家とはつき合うなという、古いことわざが、残っている。

おぼえるわざ

シャドーボール、ゴーストダイブ、かげうち

しんか

カゲボウズ → ジュペッタ

カジッチュ KAJICCHU

りんごぐらしポケモン	
ずかんばんごう	840
タイプ	くさ / ドラゴン
とくせい	じゅくせい / くいしんぼう
たかさ	0.2m
おもさ	0.5kg

生まれると、りんごにもぐりこむ。中身を食べながら成長し、りんごの味が進化を決める。

かいせつ
一生りんごの中でくらし、天敵の鳥ポケモンに出会うと、りんごのふりをして身を守る。

おぼえるわざ
おどろかす、からにこもる

しんか

カジッチュ → アップリュー / タルップル

カジリガメ KAJIRIGAME

かみつきポケモン

ずかんばんごう	834
タイプ	みず いわ
とくせい	がんじょうあご シェルアーマー
たかさ	1.0m
おもさ	115.5kg

首（くび）がのびちぢみする。はなれたところから首（くび）を一気（いっき）にのばし、するどいキバでてきをしとめる。

かいせつ

きょうぼうな性質（せいしつ）。鉄棒（てつぼう）をかみちぎるほどのあごの力（ちから）で、獲物（えもの）にばくりとかみつく。

おぼえるわざ

がんせきふうじ、かみくだく、ロックカット

しんか

カムカメ →

カジリガメ

カジリガメ

KYODAIMAX KAJIRIGAME

キョダイマックスのすがた

大昔、岩山をかみくずして洪水をせき止めたできごとが、ガラル地方で語りつがれている。

カジリガメ

かみつきポケモン

ずかんばんごう	834
タイプ	みず いわ
とくせい	がんじょうあご シェルアーマー
たかさ	24.0m 〜
おもさ	???.?kg

かいせつ

キョダイマックスのパワーによって、後ろ足で立ち上がった。てきにのしかかり、大あごでしとめる。

おぼえるわざ

キョダイガンジン

カチコール　KACHIKOHRU

氷点下100度の冷気で空気中の水分をこおらせ、氷の装甲で身を守る。

ひょうかいポケモン

ずかんばんごう	712
タイプ	こおり……
とくせい	マイペース アイスボディ
たかさ	1.0m
おもさ	99.5kg

かいせつ

極寒の地域に生息する。クレベースの背中と、自分の足をこおりつかせて固定する。

おぼえるわざ

こうそくスピン、こなゆき、すてみタックル

しんか

カチコール　→　クレベース

＊装甲：鎧。

ガチゴラス　GACHIGORAS

大あごは、ひとかみするだけで自動車も粉ごなにする。古代の世界の王者。

ぼうくんポケモン

ずかんばんごう	**697**
タイプ	いわ ドラゴン
とくせい	がんじょうあご ……
たかさ	2.5m
おもさ	270.0kg

かいせつ

約1億年前のポケモン。きょうぼうだが、堂どうとしたふるまいは王者の風格。

おぼえるわざ

ギガインパクト、つのドリル、ふみつけ

しんか

  →

チゴラス　　ガチゴラス

161

ガバイト

GABITE

ほらあなポケモン	
ずかんばんごう	444
タイプ	ドラゴン じめん
とくせい	すながくれ ……
たかさ	1.4m
おもさ	56.0kg

頭の左右の突起から、*超音波を出して、真っ暗なほらあなのようすを調べるのだ。

かいせつ

すみかのどうくつには、宝石をまいぞうするが、入りこんだとたんに、ツメとキバでズタズタにされる。

おぼえるわざ

りゅうのいぶき、かみつく、すなあらし

しんか

フカマル → ガバイト → ガブリアス

＊超音波：人間の耳には聞こえない高い音。

カバルドン KABALDON

体のあなには、たまに石がつまる。石を取ってくれるので、イシズマイを大切に守る。

じゅうりょうポケモン

ずかんばんごう	**450**
タイプ	じめん ……
とくせい	すなおこし ……
たかさ	2.0m
おもさ	300.0kg

かいせつ

おこらせると、かなりきょうぼう。取りこんだすなをふき出して、すなあらしをまき起こす。

おぼえるわざ

すなあらし、すなじごく、すてみタックル

しんか

  →

ヒポポタス → カバルドン

163

カビゴン KABIGON

いねむりポケモン

ずかんばんごう 143

タイプ	ノーマル ……
とくせい	めんえき あついしぼう
たかさ	2.1m
おもさ	460.0kg

がんじょうな胃袋は、カビの生えたものや、くさったものを食べても、こわれることはない。

かいせつ
1日に食べ物を400キロ食べないと、気がすまない。食べ終わると、ねむってしまう。

おぼえるわざ
ねむる、10まんばりき、ヘビーボンバー

しんか

 ゴンベ → カビゴン

カビゴン

キョダイマックスのすがた

KYODAIMAX KABIGON

おそろしいほどの怪力をもつ。雄大なそのすがたも、ほとんど動かざること、山のごとしだ。

カビゴン

いねむりポケモン

ずかんばんごう	**143**
タイプ	ノーマル ………
とくせい	めんえき あついしぼう
たかさ	35.0m 〜
おもさ	???.?kg

かいせつ

キョダイマックスパワーで、おなかに食べこぼしたタネや、からみついた小石までも、大きくなったぞ。

おぼえるわざ

キョダイサイセイ

カプ・コケコ　KAPU-KOKEKO

とちがみポケモン

ずかんばんごう	**785**
タイプ	でんき フェアリー
とくせい	エレキメイカー ……
たかさ	1.8m
おもさ	20.5kg

かいせつ

守（まも）り神（がみ）とよばれるが、気分（きぶん）を害（がい）する人間（にんげん）やポケモンにはおそいかかる、あらぶる神（かみ）でもある。

おぼえるわざ

ワイルドボルト、でんげきは、じゅうでん

かみなりをあやつる*メレメレの守（まも）り神（がみ）。好奇心（こうきしん）おうせいで、ときおり人前（ひとまえ）にあらわれる。

しんか	 カプ・コケコ	進化（しんか）しない

＊メレメレ：アローラ地方（ちほう）の島（しま）。

カプ・テテフ

KAPU-TETEFU

とちがみポケモン	
ずかんばんごう	**786**
タイプ	エスパー フェアリー
とくせい	サイコメイカー ……
たかさ	1.2m
おもさ	18.6kg

かがやくりん粉をふりまいて、人やポケモンのキズをいやす。アーカラでまつられる守り神だ。

かいせつ
守り神とよばれるが、無邪気で残酷な性質もあわせもつ、自然の化身といえるそんざい。

おぼえるわざ
サイコショック、ムーンフォース、くすぐる

しんか

カプ・テテフ 進化しない

＊アーカラ：アローラ地方の島。

167

カプ・ブルル　KAPU-BULUL

とちがみポケモン

ずかんばんごう	**787**
タイプ	くさ／フェアリー
とくせい	グラスメイカー……
たかさ	1.9m
おもさ	45.5kg

しっぽを鳴らし居場所を伝え、むだな争いをさける。草木をあやつるウラウラ*の守り神。

かいせつ
守り神とよばれるが、てきと見なしたものは徹底的にたたきつぶすはげしさをもっている。

おぼえるわざ
ウッドホーン、ウッドハンマー、メガホーン

しんか

カプ・ブルル　進化しない

*ウラウラ：アローラ地方の島。

カプ・レヒレ　KAPU-REHIRE

とちがみポケモン	
ずかんばんごう	**788**
タイプ	みず フェアリー
とくせい	ミストメイカー ……
たかさ	1.3m
おもさ	21.2kg

深いきりのおくにすんでいると、おそれうやまわれてきた。水をあやつる*ポニの守り神だ。

かいせつ

守り神とよばれるが、無闇に近づく相手には、おそろしいわざわいをもたらすこともある。

おぼえるわざ

ハイドロポンプ、いやしのはどう、なみのり

しんか

カプ・レヒレ　進化しない

※ポニ：アローラ地方の島。

169

カブト　KABUTO

ぜつめつしたともいわれるが、一部の地域ではけっこうふつうに見かけるらしい。

こうらポケモン

ずかんばんごう	**140**
タイプ	いわ　みず
とくせい	すいすい　カブトアーマー
たかさ	0.5m
おもさ	11.5kg

かいせつ

ほぼ全滅したポケモン。3日に一度脱皮して、カラをどんどんかたくする。

おぼえるわざ

すいとる、げんしのちから、マッドショット

しんか

カブト → カブトプス

カブトプス　KABUTOPS

獲物を切りさき、体液をすする。残った体は、ほかのポケモンのエサになる。

こうらポケモン

ずかんばんごう	**141**
タイプ	いわ / みず
とくせい	すいすい / カブトアーマー
たかさ	1.3m
おもさ	40.5kg

かいせつ

ぜつめつの理由は不明。あたたかい海にくらしていたきょうぼうな古代のポケモン。

おぼえるわざ

きりさく、ストーンエッジ、アクアブレイク

しんか

カブト

カブトプス

ガブリアス　GABURIAS

マッハポケモン

ずかんばんごう	**445**
タイプ	ドラゴン じめん
とくせい	すながくれ ……
たかさ	1.9m
おもさ	95.0kg

地上でも動きはすばやく、雪山で体が冷えきる前に獲物をしとめ、すみかにもどる。

かいせつ
火山性の山にすみつく。ジェット機に負けない速さで空を飛び、獲物をかりまくる。

おぼえるわざ
ドラゴンダイブ、ダブルチョップ、じならし

しんか

フカマル → ガバイト → ガブリアス

メガガブリアス

MEGA GABURIAS

メガシンカ前よりきょうぼうな性質。両うでのカマで、てきをズタズタに切りきざむ。

ガブリアス

アカサタナハマヤラワ

マッハポケモン

ずかんばんごう	**445**
タイプ	ドラゴン じめん
とくせい	すなのちから ……
たかさ	1.9m
おもさ	95.0kg

かいせつ

うでと羽がとけ、カマのように変化してしまった。いかりくるって、あばれにあばれまくるぞ。

おぼえるわざ

ドラゴンダイブ、ダブルチョップ、りゅうのいかり

173

カブルモ　KABURUMO

口からはき出す液体でチョボマキのカラをとかす。中身だけを、いただくのだ。

かぶりつきポケモン

ずかんばんごう	**588**
タイプ	むし ……
とくせい	むしのしらせ だっぴ
たかさ	0.5m
おもさ	5.9kg

かいせつ

電気エネルギーに反応する、不思議な体質。チョボマキとともにいると、進化する。

おぼえるわざ

みねうち、むしのさざめき、すてみタックル

しんか

カブルモ → シュバルゴ

カポエラー　KAPOERER

くるくる回って、キックをはなつ。高速で回っていると、そのまま地面にもぐっていく。

さかだちポケモン

ずかんばんごう	237
タイプ	かくとう……
とくせい	いかく テクニシャン
たかさ	1.4m
おもさ	48.0kg

かいせつ

さか立ちをすることで、相手のタイミングをくるわせ、そのすきに、派手なキックわざをおみまいする。

おぼえるわざ

こうそくスピン、トリプルキック、ふいうち

しんか

 →

バルキー　カポエラー

175

ガマガル　GAMAGARU

きれいな声で、鳴くこともある。体の突起が大きいほど、広い音域で鳴けるのだ。

しんどうポケモン

ずかんばんごう	**536**
タイプ	みず じめん
とくせい	すいすい うるおいボディ
たかさ	0.8m
おもさ	17.0kg

かいせつ

頭痛を起こすほどの音波で、獲物を充分弱らせて、ネバネバしたベロで、からめとる。

おぼえるわざ

バブルこうせん、ちょうおんぱ、りんしょう

しんか

オタマロ　ガマガル　ガマゲロゲ

ガマゲロゲ
GAMAGEROGE

全身のコブをふるわせて、地震のようなゆれを起こす。グレッグルと近い種類。

しんどうポケモン

ずかんばんごう	537
タイプ	みず じめん
とくせい	すいすい どくしゅ
たかさ	1.5m
おもさ	62.0kg

かいせつ

コブが起こすバイブレーションがマッサージに良いと、老人に大人気のポケモンだ。

おぼえるわざ

ドレインパンチ、ハイパーボイス、あまごい

しんか

オタマロ → ガマガル → ガマゲロゲ

カマスジョー KAMASUJAW

くしざしポケモン

ずかんばんごう	**847**
タイプ	みず ……
とくせい	すいすい ……
たかさ	1.3m
おもさ	30.0kg

やりのようにとがったあごは、はがねのかたさ。その身は、おどろくほどおいしいらしい。

かいせつ

おびれを回転させ、一気にとつげき。100＊ノットをこえる速度で、獲物をつらぬくぞ。

おぼえるわざ

じごくづき、ダイビング、アクアブレイク

しんか

サシカマス → カマスジョー

＊ノット：速さの単位。100ノットは時速約185キロ。

カミツルギ KAMITURUGI

この世界では、異質できけんだが、本来すんでいる世界では、ふつうに見かける生物らしい。

ばっとうポケモン

ずかんばんごう	798
タイプ	くさ はがね
とくせい	ビーストブースト ……
たかさ	0.3m
おもさ	0.1kg

かいせつ

紙のようにうすい体から、研がれた刀ににたするどさを感じるウルトラビーストだ。

おぼえるわざ

いあいぎり、せいなるつるぎ、エアカッター

しんか

進化しない

カミツルギ

カムカメ　KAMUKAME

くいつきポケモン

ずかんばんごう	**833**
タイプ	みず ……
とくせい	がんじょうあご シェルアーマー
たかさ	0.3m
おもさ	8.5kg

頭のツノは岩のかたさ。ツノで戦い、ひるんだすきにパクリとかみつき、はなさない。

かいせつ

目の前のものに、すぐにかみつく習性。生えかけの前歯がかゆいので、かみついてしまうらしい。

おぼえるわざ

みずでっぽう、のしかかり、くらいつく

しんか

カムカメ　→　カジリガメ

180

カメール　KAMEIL

かめポケモン
ずかんばんごう 008

タイプ	みず ……
とくせい	げきりゅう ……
たかさ	1.0m
おもさ	22.5kg

ふさふさの耳としっぽを、たくみにあやつって、水中でのバランスをたもつ。

かいせつ
長生きのシンボルとされている。こうらにコケがついているのは、とくに長生きのカメールだ。

おぼえるわざ
みずのはどう、あまごい、こうそくスピン

しんか

ゼニガメ　カメール　カメックス

181

カメックス　KAMEX

こうらポケモン

ずかんばんごう	**009**
タイプ	みず ……
とくせい	げきりゅう ……
たかさ	1.6m
おもさ	85.5kg

こうらのロケット砲からふき出したジェット水流は、ぶあつい鉄板もつらぬく。

かいせつ

体が重たく、のしかかって相手を気絶させる。ピンチのときはカラにかくれる。

おぼえるわざ

ハイドロポンプ、かみつく、ラスターカノン

しんか

ゼニガメ　→　カメール　→　カメックス

カメックス

キョダイマックスのすがた

KYODAIMAX
KAMEX

真ん中の主砲から放たれる水鉄砲は、山をうちぬき、あなを開ける破壊力だ。

カメックス

こうらポケモン

ずかんばんごう	**009**
タイプ	みず ……
とくせい	げきりゅう ……
たかさ	25.0m〜
おもさ	???.?kg

かいせつ

せいみつな射撃は苦手。31門の大砲で、うってうってうちまくるスタイルで、せめるのだ。

おぼえるわざ

キョダイホウゲキ

メガカメックス

MEGA KAMEX

カメックス

ふんしゃした水のいきおいに負けないように、わざと体重を重くしているのだ。

こうらポケモン

ずかんばんごう	009
タイプ	みず ……
とくせい	メガランチャー ……
たかさ	1.6m
おもさ	101.1kg

かいせつ

こうらの大砲は、戦車なみの威力。発射のしょうげきを、強靭な足腰でふんばる。

おぼえるわざ

ハイドロポンプ、ロケットずつき、アクアテール

カメテテ

KAMETETE

ふたてポケモン	
ずかんばんごう	**688**
タイプ	いわ みず
とくせい	かたいツメ スナイパー
たかさ	0.5m
おもさ	31.0kg

2ひきの息が合わないと、こうげき、ぼうぎょ、どちらもおろそかになり、生き残れない。

かいせつ

2ひきが、海辺の手ごろな岩にくっついてくらす。*満潮時、協力してエサを集める。

おぼえるわざ

どろかけ、げんしのちから、みだれひっかき

しんか

カメテテ → ガメノデス

＊満潮：海水がみちて、水面が高くなること。みちしお。

185

ガメノデス   GAMENODES

7ひきのカメテテが、1ぴき分の体をつくっている。頭が手足に命令するしくみ。

しゅうごうポケモン

ずかんばんごう	**689**
タイプ	いわ みず
とくせい	かたいツメ スナイパー
たかさ	1.3m
おもさ	96.0kg

かいせつ

手のひらの目玉が、前後左右を見はる。ピンチのときは、手足が勝手に動いて、てきをたおす。

おぼえるわざ

ストーンエッジ、クロスチョップ、つめとぎ

しんか

 →
カメテテ　　ガメノデス

カモネギ KAMONEGI

植物のクキで戦う。
クキのふり方には、
いくつかの流派のよ
うなものがある。

かるがもポケモン

ずかんばんごう 083

タイプ	ノーマル ひこう
とくせい	するどいめ せいしんりょく
たかさ	0.8m
おもさ	15.0kg

かいせつ

羽でもつクキを刀のように
あやつり、てきを切りすてる。
いざというときは、エサにす
る。

おぼえるわざ

きりさく、つるぎのまい、エ
アスラッシュ

しんか

カモネギ　進化しない

カモネギ

ガラルのすがた

GALAR KAMONEGI

かるがもポケモン

ずかんばんごう	**083**
タイプ	かくとう ……
とくせい	ふくつのこころ ……
たかさ	0.8m
おもさ	42.0kg

太く長いガラルのネギを使いこなすうちに、独自のすがたに変化したカモネギ。

かいせつ

ガラルにすむカモネギのすがた。太くたくましいネギをふるい、勇敢に戦う戦士。

おぼえるわざ

ぶんまわす、リーフブレード、れんぞくぎり

しんか

カモネギ（ガラルのすがた） ➡ ネギガナイト

カラカラ　KARAKARA

こどくポケモン

ずかんばんごう	104
タイプ	じめん ……
とくせい	いしあたま ひらいしん
たかさ	0.4m
おもさ	6.5kg

かいせつ
二度と会えない母親の面影を満月に見つけて、泣き声をあげる。かぶっているホネのしみは、なみだのあと。

悲しいとき、さみしいとき、かぶっているホネがゆれて、はかなくせつない音がする。

おぼえるわざ
どろかけ、あばれる、ボーンラッシュ

しんか

カラカラ → ガラガラ → ガラガラ（アローラのすがた）

ガラガラ GARAGARA

ほねずきポケモン	
ずかんばんごう	**105**
タイプ	じめん ……
とくせい	いしあたま ひらいしん
たかさ	1.0m
おもさ	45.0kg

ホネは大事な武器である。ブーメランのように投げて獲物にぶつけ、気絶させる。

かいせつ

進化して、かぶっていた母親のホネが一体化して、そのうえ、きょうぼうな性格に変わった。

おぼえるわざ

ホネブーメラン、ボーンラッシュ、じだんだ

しんか

カラカラ →
ガラガラ

ガラガラ
アローラのすがた

ALOLA GARAGARA

手にしたホネにほのおを灯し、仲間をとむらうおどりを夜通しおどり続ける。

ほねずきポケモン

ずかんばんごう	105
タイプ	ほのお ゴースト
とくせい	のろわれボディ ひらいしん
たかさ	1.0m
おもさ	34.0kg

かいせつ

ホネに灯ったのろいのほのおは、いつまでも治らないいたみを、体と心に残すという。

おぼえるわざ

シャドーボーン、フレアドライブ、おにび

しんか

 →

カラカラ　　ガラガラ
　　　　　（アローラのすがた）

191

カラサリス KARASALIS

落ちないように糸をえだにまきつけて、体をささえながら進化を待っている。小さなあなから、外のようすをうかがう。

さなぎポケモン

ずかんばんごう	266
タイプ	むし……
とくせい	だっぴ……
たかさ	0.6m
おもさ	10.0kg

かいせつ

進化するまで、なにも食べずにたえていると考えられていたが、どうやら、糸についた雨水でかわきをいやしているらしい。

おぼえるわざ

かたくなる

しんか

  → →

ケムッソ　カラサリス　アゲハント

カラナクシ
にしのうみ

KARANAKUSHI
NISHI NO UMI

かんきょうですがたが変わる。水温が温かい海では、このすがたになるという説も。

ウミウシポケモン

ずかんばんごう	**422**
タイプ	みず ……
とくせい	ねんちゃく よびみず
たかさ	0.3m
おもさ	6.3kg

かいせつ

強くふれると、むらさき色のなぞのしるを出す。害はないけれど、ネバネバするよ。

おぼえるわざ

みずでっぽう、だくりゅう、のしかかり

しんか

カラナクシ
(にしのうみ) → トリトドン
(にしのうみ)

193

カラナクシ
ひがしのうみ

KARANAKUSHI
HIGASHI NO UMI

かんきょうですが
たが変わる。水温
が冷たい海では、
このすがたになる
という説も。

ウミウシポケモン

ずかんばんごう	**422**
タイプ	みず ……
とくせい	ねんちゃく よびみず
たかさ	0.3m
おもさ	6.3kg

かいせつ
エサですがたが変わるとも
いわれるが、正しいことは、
まだまだわかっていないのだ。

おぼえるわざ
みずでっぽう、だくりゅう、
のしかかり

しんか　カラナクシ（ひがしのうみ）　→　トリトドン（ひがしのうみ）

カラマネロ　CALAMANERO

発光体の光を見つめると、たちまち催眠状態になり、カラマネロにあやつられてしまう。

ぎゃくてんポケモン

ずかんばんごう	**687**
タイプ	あく　エスパー
とくせい	あまのじゃく　きゅうばん
たかさ	1.5m
おもさ	47.0kg

かいせつ
歴史を変えるほどの大事件は、カラマネロの催眠能力が、かかわっていたといわれている。

おぼえるわざ
ひっくりかえす、サイコカッター、つじぎり

しんか

マーイーカ

カラマネロ

＊催眠：ねむくなること。

195

カリキリ　KARIKIRI

昼間は陽の光を浴び、すやすやとねむる。夜中に目を覚まし、活動を始める。

かまくさポケモン	
ずかんばんごう	**753**
タイプ	くさ ……
とくせい	リーフガード ……
たかさ	0.3m
おもさ	1.5kg

かいせつ

太陽の光を浴びると、あまくよいかおりがするので、虫ポケモンたちがよってくる。

おぼえるわざ

れんぞくぎり、にほんばれ、あまいかおり

しんか

カリキリ → ラランテス

ガルーラ GARURA

子供のいないガルーラが、そうなんした人間の子を育てていたという記録がある。

おやこポケモン

ずかんばんごう	115
タイプ	ノーマル ……
とくせい	はやおき きもったま
たかさ	2.2m
おもさ	80.0kg

かいせつ

はらのふくろに子供がいるが、フットワークはとても軽い。すばやい*ジャブで、相手をいかく。

おぼえるわざ

ダブルアタック、げきりん、きあいだめ

しんか

ガルーラ

進化しない

*ジャブ：相手の顔や体を連続して細かく打つこと。

メガガルーラ

MEGA GARURA

メガシンカした子の背中を見た母親は、いずれおとずれる別れの日に、思いをはせるのだ。

ガルーラ

おやこポケモン

ずかんばんごう	**115**
タイプ	ノーマル……
とくせい	おやこあい……
たかさ	2.2m
おもさ	100.0kg

かいせつ

メガシンカのエネルギーで、子供が急成長。親子で、息のあった連携プレーを見せるぞ。

おぼえるわざ

れんぞくパンチ、メガトンパンチ、ダブルアタック

ガントル　GANTLE

オレンジ色の結晶が光りだしたら、気をつけろ。エネルギーをうち出してくるぞ。

こうせきポケモン

ずかんばんごう	525
タイプ	いわ ……
とくせい	がんじょう くだけるよろい
たかさ	0.9m
おもさ	102.0kg

かいせつ

音で、まわりのようすをさぐる。おこらせると、体の向きを変えないまま、追ってくる。

おぼえるわざ

パワージェム、てっぺき、ストーンエッジ

しんか

 → →

ダンゴロ　ガントル　ギガイアス

ギアル

GIARU

大昔にギアルを見た人間が、歯車のこうぞうを思いついたと、いわれている。

はぐるまポケモン

ずかんばんごう	**599**
タイプ	はがね ……
とくせい	プラス マイナス
たかさ	0.3m
おもさ	21.0kg

かいせつ

2つの体は、双子よりも近い。別の体同士だと、いまいち、うまくかみ合わない。

おぼえるわざ

でんきショック、じゅうでん、きんぞくおん

しんか

ギアル → ギギアル → ギギギアル

ギガイアス GIGAIATH

たくましいので、工事現場や採掘場で、ダイオウドウや人と働いていることも。

こうあつポケモン

ずかんばんごう	526
タイプ	いわ ……
とくせい	がんじょう すなおこし
たかさ	1.7m
おもさ	260.0kg

かいせつ
晴れた日にしかうてないが、エネルギーだんの破壊力は、ダンプカーもふき飛ばすほど。

おぼえるわざ
だいばくはつ、ロックブラスト、うちおとす

しんか

 → →

ダンゴロ　　ガントル　　ギガイアス

ギギアル

GIGIARU

工業技術のシンボルとして、多くのガラルの会社で、企業ロゴに採用される。

はぐるまポケモン

ずかんばんごう	**600**
タイプ	はがね ……
とくせい	プラス マイナス
たかさ	0.6m
おもさ	51.0kg

かいせつ

本気のときは、でかギアの外の歯車と、ちびギアが合致。回転速度が、飛躍するのだ。

おぼえるわざ

ギアソーサー、ほうでん、チャージビーム

しんか

ギアル → ギギアル → ギギギアル

ギギギアル GIGIGIARU

3つのギアを高速回転。新たにふえたトゲのついたギアは、生き物ではないのだ。

はぐるまポケモン

ずかんばんごう	601
タイプ	はがね ……
とくせい	プラス マイナス
たかさ	0.6m
おもさ	81.0kg

かいせつ

トゲの先から、強い電撃を発射。赤いコアに、たくさんのエネルギーを、たくわえている。

おぼえるわざ

ギアソーサー、ギアチェンジ、でんじほう

しんか

 → → →

ギアル　　ギギアル　　ギギギアル

203

キテルグマ KITERUGUMA

かくとう家顔負けのわざで、しとめた獲物を両わきにかかえて、すみかへ持ち帰る。

ごうわんポケモン

ずかんばんごう	760
タイプ	ノーマル かくとう
とくせい	もふもふ ぶきよう
たかさ	2.1m
おもさ	135.0kg

かいせつ

仲間とみとめると、愛情をしめすためにだきしめようとするが、ホネをくだかれるのできけん。

おぼえるわざ

しめつける、アームハンマー、ばかぢから

しんか

ヌイコグマ

キテルグマ

キノガッサ　KINOGASSA

しっぽのタネは、毒の胞子が固まってできたものなので、食べたら大変だ。一口で、おなかがグルグル鳴りだすぞ。

きのこポケモン

ずかんばんごう	286
タイプ	くさ かくとう
とくせい	ほうし ポイズンヒール
たかさ	1.2m
おもさ	39.2kg

かいせつ

軽やかなフットワークでてきに近づき、のびちぢみするうでで、パンチをくり出す。ボクサー顔負けのテクニックの持ち主。

おぼえるわざ

マッハパンチ、スカイアッパー、フェイント

しんか

キノココ → キノガッサ

キノココ　KINOCOCO

きけんを感じると、体をふるわせて、頭のてっぺんから胞子をばらまくぞ。草木もしおれてしまうほどの猛毒だ。

きのこポケモン

ずかんばんごう	285
タイプ	くさ ……
とくせい	ほうし ポイズンヒール
たかさ	0.4m
おもさ	4.5kg

かいせつ

深い森のしめった地面に生息。落ち葉の下で、じっとしていることが多い。落ち葉が積もってできた腐葉土を食べる。

おぼえるわざ

すいとる、しびれごな、キノコのほうし

しんか

キノココ → キノガッサ

キバゴ　KIBAGO

キバポケモン

ずかんばんごう	**610**
タイプ	ドラゴン ……
とくせい	とうそうしん かたやぶり
たかさ	0.6m
おもさ	18.0kg

地面につくった巣あなにすむ。かたい木の実をキバでくだいて、仲間と力をくらべあう。

かいせつ
大きなキバを打ちつけ、仲間とじゃれあう。キバは、折れてもすぐ生えてくるから、へっちゃらだ。

おぼえるわざ
きりさく、ドラゴンクロー、にらみつける

しんか

キバゴ → オノンド → オノノクス

キバニア　KIBANHA

獲物を見つけても、1ぴきのときはおそわない。仲間が来るのを待って、集団でおそいかかる。

どうもうポケモン

ずかんばんごう	318
タイプ	みず / あく
とくせい	さめはだ / ……
たかさ	0.8m
おもさ	20.8kg

かいせつ

するどいキバと、たくましいあごをもつ。船乗りたちは、キバニアのすみかには、けっして近づかない。

おぼえるわざ

アクアジェット、かみつく、こうそくいどう

しんか

キバニア → サメハダー

キマワリ KIMAWARI

暑い季節が近づくと、顔の花びらはあざやかになり、活発に動くようになる。

たいようポケモン

ずかんばんごう	192
タイプ	くさ ……
とくせい	ようりょくそ サンパワー
たかさ	0.8m
おもさ	8.5kg

かいせつ

太陽エネルギーから、栄養をつくり出す。気温の高い日中活発に動き、太陽がしずむとぱったり動かなくなる。

おぼえるわざ

フラワーガード、リーフストーム、くさぶえ

しんか

ヒマナッツ → キマワリ

209

ギモー

GIMOH

しょうわるポケモン	
ずかんばんごう	**860**
タイプ	あく フェアリー
とくせい	いたずらごころ おみとおし
たかさ	0.8m
おもさ	12.5kg

悪知恵を使って、夜の森にさそいこもうとする。農作物を育てる力をもつらしい。

かいせつ

土下座してあやまるふりをして、やりのようにとがった後ろがみでつきさしてくる戦法を使う。

おぼえるわざ

どげざつき、あくのはどう、ねこだまし

しんか

ベロバー → ギモー → オーロンゲ

キモリ　KIMORI

もりトカゲポケモン	
ずかんばんごう	252
タイプ	くさ ……
とくせい	しんりょく ……
たかさ	0.5m
おもさ	5.0kg

かいせつ

足のうらの小さなトゲを引っかけて、垂直のかべを登ることができる。太いしっぽをたたきつけて、こうげきする。

おぼえるわざ

エナジーボール、でんこうせっか、このは

沈着冷静、何事にも動じない。体の大きなポケモンににらまれても、一歩も引かずに、にらみかえすぞ。

しんか

 →   →

キモリ　　ジュプトル　　ジュカイン

211

キャタピー   CATERPIE

頭の触角から、強烈なにおいを出して、てきを追いはらい、身を守る。

いもむしポケモン

ずかんばんごう	**010**
タイプ	むし ……
とくせい	りんぷん ……
たかさ	0.3m
おもさ	2.9kg

かいせつ

足は短いが、きゅうばんになっているので、坂でもかべでも、くたびれることなく進んでいく。

おぼえるわざ

たいあたり、いとをはく、むしくい

しんか

キャタピー → トランセル → バタフリー

キャモメ　CAMOME

空気の流れを利用して、羽ばたかずに空へまい上がる。海辺のがけに巣をつくる。

うみねこポケモン

ずかんばんごう	278
タイプ	みず ひこう
とくせい	するどいめ うるおいボディ
たかさ	0.6m
おもさ	9.5kg

かいせつ
キャモメが飛びかう海の下は、さかなポケモンがむれているので、漁師は、まずキャモメをさがす。

おぼえるわざ
つばさでうつ、みずでっぽう、はねやすめ

しんか

キャモメ → ペリッパー

213

ギャラドス GYARADOS

きょうあくポケモン	
ずかんばんごう	**130**
タイプ	みず ひこう
とくせい	いかく ……
たかさ	6.5m
おもさ	235.0kg

ひじょうにきょうぼうな性格。口から出すかいこうせんは、すべてのものを焼きつくす。

かいせつ

一度あばれだしたギャラドスは、あらしがふきすさんでいようとも、どんなものでも焼きつくしてしまう。

おぼえるわざ

はかいこうせん、ハイドロポンプ、あばれる

しんか

コイキング → ギャラドス

214

メガギャラドス

MEGA GYARADOS

アキサタナハマヤラワ

メガシンカで、体に負担がかかっている。ストレスで、いっそうきょうぼうにあばれ回るのだ。

きょうあくポケモン

ずかんばんごう	**130**
タイプ	みず / あく
とくせい	かたやぶり ……
たかさ	6.5m
おもさ	305.0kg

かいせつ

本能のまま、はかいのかぎりをつくすが、本当に信頼するトレーナーの指示にはこたえるぞ。

おぼえるわざ

はかいこうせん、ハイドロポンプ、りゅうのいかり

ギャロップ　GALLOP

ひのうまポケモン

ずかんばんごう ▶ **078**

タイプ	ほのお ……
とくせい	にげあし もらいび
たかさ	1.7m
おもさ	95.0kg

かいせつ

もえるたてがみをはためかせ、時速240キロの速度で、大草原をかけぬけるのだ。

おぼえるわざ

れんごく、だいもんじ、スマートホーン

一番足が速いものが、リーダー。むれが行く場所や、走る速度を決めている。

しんか

  ➡

ポニータ　　ギャロップ

ギャロップ
ガラルのすがた

GALAR GALLOP

いっかくポケモン
ずかんばんごう 078

タイプ	エスパー フェアリー
とくせい	にげあし パステルベール
たかさ	1.7m
おもさ	80.0kg

勇猛果敢で、ほこり高い。足先の毛にサイコパワーをためて、軽やかに森をかける。

かいせつ
ツノから放つサイコカッターは、強力。ぶあつい鉄板にあなを開けるほどの破壊力。

おぼえるわざ
サイコカッター、ようせいのかぜ、とっしん

しんか

ポニータ
（ガラルのすがた）

ギャロップ
（ガラルのすがた）

217

キュウコン KYUKON

きつねポケモン

ずかんばんごう 038

タイプ	ほのお ……
とくせい	もらいび ……
たかさ	1.1m
おもさ	19.9kg

頭が良くて、執念深い。ふざけてしっぽをつかむと、1000年たたられるという。

かいせつ

しっぽの1本1本に、神通力がこめられている。1000年生きるといわれる。

おぼえるわざ

かえんほうしゃ、ほのおのうず、やきつくす

しんか

ロコン → キュウコン

218

キュウコン

ALOLA KYUKON

アローラのすがた

雪山の遭難者をふもとへみちびき助けるが、山をあらす不届き者にはようしゃしない。

きつねポケモン

ずかんばんごう	**038**
タイプ	こおり フェアリー
とくせい	ゆきがくれ ……
たかさ	1.1m
おもさ	19.9kg

かいせつ

雪にとざされた神様のいる山でくらしていたため、昔は、神の化身とうやまわれていた。

おぼえるわざ

ふぶき、マジカルシャイン、ぜったいれいど

しんか

ロコン
（アローラのすがた）

→

キュウコン
（アローラのすがた）

219

キュレム　KYUREM

きょうかいポケモン
ずかんばんごう 646

タイプ	ドラゴン こおり
とくせい	プレッシャー ……
たかさ	3.0m
おもさ	325.0kg

細胞組織を安定させるため、自分で発生させた冷気で、体をこおりつかせているらしい。

かいせつ
*レシラムとゼクロムをしのぐほどの力をもつが、極低温の冷気でふうじられてしまっている。

おぼえるわざ
こごえるせかい、ぜったいれいど、ふぶき

しんか

キュレム　進化しない

220　*レシラム：「下」にのっているポケモンだよ。

キュレム

ブラックキュレム

BLACK KYUREM

きょうかいポケモン

ずかんばんごう	646
タイプ	ドラゴン こおり
とくせい	テラボルテージ ……
たかさ	3.3m
おもさ	325.0kg

**ブラックキュレム
オーバードライブ**

未来に実現する、ポケモンと人間の理想の世界を守るため、戦うといわれる。

かいせつ

同じ*遺伝子をもつゼクロムを吸収して、電気と氷のエネルギーを使えるようになった。

おぼえるわざ

フリーズボルト、クロスサンダー、ふぶき

しんか

キュレム（ブラックキュレム） 　進化しない

＊遺伝子：親の体の形や性質が、子に伝わることを遺伝という。遺伝子は遺伝を起こす元になる物質。

キュレム

ホワイトキュレム

WHITE KYUREM

きょうかいポケモン

ずかんばんごう	646
タイプ	ドラゴン こおり
とくせい	ターボブレイズ ……
たかさ	3.6m
おもさ	325.0kg

ホワイトキュレム オーバードライブ

ポケモンと人間の真実の世界が来ることを見通していて、その未来を守ろうとしている。

かいせつ

同じ遺伝子をもつレシラムを吸収して、ほのおと氷のエネルギーを使えるようになった。

おぼえるわざ

コールドフレア、クロスフレイム、ふぶき

しんか

進化しない

キュレム（ホワイトキュレム）

＊遺伝子：親の体の形や性質が、子に伝わることを遺伝という。遺伝子は遺伝を起こす元になる物質。＊レシラム：「下」にのっているポケモンだよ。

キュワワー　CUWAWA

ツルを使って花をつみ、自分をかざる。体についた花は、なぜかかれない。

はなつみポケモン

ずかんばんごう	764
タイプ	フェアリー……
とくせい	フラワーベール　ヒーリングシフト
たかさ	0.1m
おもさ	0.3kg

かいせつ

とても良いかおりがするポケモン。身につける花がちがうので、キュワワーごとにかおりはちがう。

おぼえるわざ

はなびらのまい、はなふぶき、くさむすび

しんか

キュワワー　進化しない

ギラティナ
アナザーフォルム

GIRATINA ANOTHER FORME

はんこつポケモン

ずかんばんごう	**487**
タイプ	ゴースト ドラゴン
とくせい	プレッシャー ……
たかさ	4.5m
おもさ	750.0kg

この世の裏側にある世界にすんでいるといわれるポケモン。古代の墓場にあらわれる。

かいせつ

あばれ者ゆえ追い出されたが、やぶれた世界といわれる場所で、静かに元の世界を見ていた。

おぼえるわざ

シャドーダイブ、だいちのちから、みちづれ

しんか

ギラティナ
（アナザーフォルム）

進化しない

ギラティナ
オリジンフォルム

GIRATINA
ORIGIN FORME

はんこつポケモン

ずかんばんごう	487
タイプ	ゴースト ドラゴン
とくせい	ふゆう ……
たかさ	6.9m
おもさ	650.0kg

かいせつ
あばれ者ゆえ追い出されたが、やぶれた世界といわれる場所で、静かに元の世界を見ていた。

じょうしきの通用しない、この世の裏側にあるといわれるやぶれた世界に、生息する。

おぼえるわざ
シャドーダイブ、かげうち、ドラゴンクロー

しんか

ギラティナ
（オリジンフォルム）

進化しない

225

キリキザン

KIRIKIZAN

とうじんポケモン

ずかんばんごう	**625**
タイプ	あく はがね
とくせい	まけんき せいしんりょく
たかさ	1.6m
おもさ	70.0kg

やいばを研ぐ石がある場所をめぐって、オノンドとはげしい争いをくりひろげる。

かいせつ

大勢のコマタナをしたがえる。手下たちがうらぎらないよう、つねに目を光らせている。

おぼえるわざ

メタルバースト、つじぎり、ハサミギロチン

しんか

  →

コマタナ　　キリキザン

226

キリンリキ

KIRINRIKI

しっぽの脳は、考えごとができないほど小さいけれど、ねむらなくても平気なので、24時間あたりを見はり続けているぞ。

くびながポケモン

ずかんばんごう	**203**
タイプ	ノーマル エスパー
とくせい	せいしんりょく はやおき
たかさ	1.5m
おもさ	41.5kg

かいせつ

しっぽの頭にも小さな脳がある。においや音に反応してこうげきするので、後ろから近よると、いきなりかみつかれる。

おぼえるわざ

ダブルアタック、パワースワップ、ふみつけ

しんか

キリンリキ → 進化しない

227

ギルガルド

GILLGARD SHIELD FORME

シールドフォルム

はがねの体と霊力のバリアで、あらゆるこうげきを弱めるぼうぎょの体勢。

おうけんポケモン

ずかんばんごう	681
タイプ	はがね ゴースト
とくせい	バトルスイッチ ……
たかさ	1.7m
おもさ	53.0kg

かいせつ

強力な霊力で、人やポケモンをあやつり、ギルガルドに都合の良い国をつくらせた。

おぼえるわざ

せいなるつるぎ、てっぺき、キングシールド

しんか

 → → →

ヒトツキ　ニダンギル　ギルガルド（シールドフォルム）

ギルガルド
ブレードフォルム

GILLGARD BLADE FORME

こうげきに特化した体勢。はがねの重さと強度をいかして、相手をたたきわる。

おうけんポケモン

ずかんばんごう	681
タイプ	はがね / ゴースト
とくせい	バトルスイッチ ……
たかさ	1.7m
おもさ	53.0kg

かいせつ
昔、ギルガルドを連れた王が国を支配していたが、やがて生気をすわれ、国もほろびた。

おぼえるわざ
せいなるつるぎ、かげうち、キングシールド

しんか

 → →

ヒトツキ　ニダンギル　ギルガルド（シールドフォルム）

※ギルガルドは、ふだんはシールドフォルムで、こうげきのときブレードフォルムに変化する。

キルリア

KIRLIA

かんじょうポケモン

ずかんばんごう	281
タイプ	エスパー フェアリー
とくせい	シンクロ トレース
たかさ	0.8m
おもさ	20.2kg

サイコパワーをあやつり、まわりの空間をねじ曲げることで、未来を見通すことができる。

かいせつ

トレーナーが喜ぶと、キルリアにエネルギーが満ちあふれ、楽しそうにくるくるとおどる。

おぼえるわざ

サイケこうせん、ドレインキッス、めいそう

しんか：ラルトス → キルリア → エルレイド（オスのみ） → サーナイト

キレイハナ　KIREIHANA

フラワーポケモン

ずかんばんごう	182
タイプ	くさ ……
とくせい	ようりょくそ ……
たかさ	0.4m
おもさ	5.8kg

南国に多く生息する。おどるとき、花びらがふれあい、心地よい音が鳴りひびく。

かいせつ

ときおり、キレイハナが集まって、おどるようなしぐさを見せる。太陽をよぶ儀式といわれる。

おぼえるわざ

はなふぶき、グラスフィールド、どくどく

しんか

  → →

ナゾノクサ　クサイハナ　キレイハナ

231

キングドラ KINGDRA

はがれたウロコは、王族へ献上されるほど上質で、深みのあるかがやきをもつ。

ドラゴンポケモン

ずかんばんごう	**230**
タイプ	みず ドラゴン
とくせい	すいすい スナイパー
たかさ	1.8m
おもさ	152.0kg

かいせつ

あらしが来ると、海面にすがたを見せる。カイリューに出くわすと、はげしい争いがはじまる。

おぼえるわざ

りゅうのいぶき、りゅうのはどう、たつまき

しんか

 → →
タッツー　シードラ　キングドラ

キングラー　KINGLER

破壊力ばつぐんの大きなハサミだが、重すぎるので、戦わないときは、じゃまになる。

はさみポケモン

ずかんばんごう	**099**
タイプ	みず ……
とくせい	かいりきバサミ シェルアーマー
たかさ	1.3m
おもさ	60.0kg

かいせつ

かたいハサミは、1万馬力のパワーをもっているが、大きすぎて動きがにぶい。

おぼえるわざ

メタルクロー、クラブハンマー、ふみつけ

しんか

クラブ

→

キングラー

233

キングラー

キョダイマックスのすがた

KYODAIMAX KINGLER

強アルカリ性のあわを出す。ふきかけられた相手の体を、たちまちとかしてしまう。

はさみポケモン

ずかんばんごう	**099**
タイプ	みず ……
とくせい	かいりきバサミ シェルアーマー
たかさ	19.0m〜
おもさ	???.?kg

かいせつ

キョダイマックスのパワーによって巨大になった左のハサミは、なんでも粉ごなにすりつぶす。

おぼえるわざ

キョダイホウマツ

クイタラン　KUITARAN

しっぽのあなから空気を取りこみ、ほのおをもやす。あなをふさがれると、具合が悪くなる。

アリクイポケモン

ずかんばんごう	631
タイプ	ほのお ……
とくせい	くいしんぼう もらいび
たかさ	1.4m
おもさ	58.0kg

かいせつ

しっぽのあなから空気をすって、体内でほのおを燃やす。アイアントの天敵。

おぼえるわざ

ほのおのムチ、みだれひっかき、のみこむ

しんか

クイタラン　進化しない

クサイハナ KUSAIHANA

ざっそうポケモン	
ずかんばんごう	**044**
タイプ	くさ どく
とくせい	ようりょくそ ……
たかさ	0.8m
おもさ	8.6kg

めしべが放つとてつもなくくさいにおいは、2キロ先までとどき、気を失わせる。

かいせつ

よだれのように見えるあまいミツ。とてもねばねばしており、ふれると、いつまでもまとわりつく。

おぼえるわざ

ようかいえき、あまいかおり、ギガドレイン

しんか　ナゾノクサ → クサイハナ → キレイハナ　ラフレシア

クスネ　KUSUNE

きつねポケモン

ずかんばんごう	827
タイプ	あく ……
とくせい	にげあし かるわざ
たかさ	0.6m
おもさ	8.9kg

かいせつ
ほかのポケモンが見つけたエサをかすめてくらしている。ふかふかの肉球は、足音をたてない。

おぼえるわざ
しっぽをふる、でんこうせっか、わるだくみ

用心深く、ずるがしこい。エサをぬすむと、しっぽで足跡を消しながら、にげるのだ。

しんか

クスネ → フォクスライ

クズモー　KUZUMO

くさった海藻ににているので、海をただようもくずの中にかくれて、てきの目をごまかす。

クサモドキポケモン

ずかんばんごう	**690**
タイプ	どく みず
とくせい	どくのトゲ どくしゅ
たかさ	0.5m
おもさ	7.3kg

かいせつ

もくずにまぎれて海をただよい、海藻を食べに来たポケモンをしとめて、ごちそうにするのだ。

おぼえるわざ

えんまく、ようかいえき、みずでっぽう

しんか

クズモー　→　ドラミドロ

238

グソクムシャ　GUSOKUMUSHA

勝つためには手段を問わない。相手のすきをついて、前足の小さなツメでとどめをさす。

そうこうポケモン

ずかんばんごう	**768**
タイプ	むし みず
とくせい	ききかいひ ……
たかさ	2.0m
おもさ	108.0kg

かいせつ

自由に伸びちぢみするツメが、最大の武器。コソクムシをしたがえていることもあるのだ。

おぼえるわざ

であいがしら、アクアブレイク、いわくだき

しんか

コソクムシ　→　グソクムシャ

239

クチート

KUCHEAT

あざむきポケモン	
ずかんばんごう	303
タイプ	はがね フェアリー
とくせい	かいりきバサミ いかく
たかさ	0.6m
おもさ	11.5kg

はがねのツノが変形してできた大きなあごで、相手にがぶりとかみつくのだ。

かいせつ
おとなしい顔で相手を油断させてから、大あごでがぶり。かみつくと、絶対に放さない。

おぼえるわざ
アイアンヘッド、じゃれつく、かみくだく

しんか

  進化しない

クチート

メガクチート

MEGA KUCHEAT

ひじょうにこうげき的(てき)な性質(せいしつ)。2つのあごで獲物(えもの)をはさむと、力(ちから)まかせに引(ひ)きちぎる。

クチート

アクサタナハマヤラワ

あざむきポケモン

ずかんばんごう	303
タイプ	はがね フェアリー
とくせい	ちからもち ……
たかさ	1.0m
おもさ	23.5kg

かいせつ

2つのあごは、意思(いし)があるようにはげしくあばれまくっている。ひとかみで、岩石(がんせき)も粉(こな)ごなだ。

おぼえるわざ

アイアンヘッド、じゃれつく、ようせいのかぜ

241

クヌギダマ KUNUGIDAMA

木の皮を唾液ではり合わせ、あつく大きくしていく。年老いたクヌギダマは、とてつもないでかさ。

みのむしポケモン	
ずかんばんごう	204
タイプ	むし ……
とくせい	がんじょう ……
たかさ	0.6m
おもさ	7.2kg

かいせつ

木のえだにぶら下がり、獲物を待っている。木をゆらされて食事のじゃまをされると、地面に落ちてからいきなり爆発するぞ。

おぼえるわざ

ジャイロボール、じばく、こうそくスピン

しんか

クヌギダマ → フォレトス

クマシュン KUMASYUN

ひょうけつポケモン

ずかんばんごう	613
タイプ	こおり ……
とくせい	ゆきがくれ ゆきかき
たかさ	0.5m
おもさ	8.5kg

かいせつ
体調（たいちょう）がいいと、鼻水（はなみず）のねばり気（け）がます。いやな相手（あいて）に、鼻水（はなみず）をぺとりとなすりつける。

おぼえるわざ
こなゆき、こごえるかぜ、みだれひっかき

わざを出（だ）す前（まえ）に鼻（はな）をすする。鼻水（はなみず）にふくまれる強（つよ）い冷気（れいき）が、氷（こおり）のわざのもとだ。

しんか

クマシュン → ツンベアー

グラードン　GROUDON

たいりくポケモン

ずかんばんごう	**383**
タイプ	じめん ……
とくせい	ひでり ……
たかさ	3.5m
おもさ	950.0kg

カイオーガと死闘の末、長いねむりについた。大地の化身といわれる伝説のポケモン。

かいせつ

大地の化身と伝わるポケモン。自然のエネルギーを求めて、カイオーガと争いをくり返したという伝説がある。

おぼえるわざ

ふんか、だいちのちから、アームハンマー

しんか

グラードン　進化しない

ゲンシグラードン

GENSHI GROUDON

グラードン — 高熱で水を蒸発させて、大地を広げたといわれている。カイオーガとはげしく戦った。

アクサタナハマヤラワ

たいりくポケモン

ずかんばんごう	**383**
タイプ	じめん／ほのお
とくせい	おわりのだいち……
たかさ	5.0m
おもさ	999.7kg

かいせつ
自然のエネルギーによってゲンシカイキし、本来のすがたを取りもどす。その力は、マグマを生みだし大地を広げる。

おぼえるわざ
だんがいのつるぎ、マッドショット、だいちのちから

245

グライオン GLION

キバさそりポケモン	
ずかんばんごう	472
タイプ	じめん ひこう
とくせい	かいりきバサミ すながくれ
たかさ	2.0m
おもさ	42.5kg

羽音をたてずに空を飛ぶ。長いしっぽで獲物をつかまえ、キバで急所を一つき。

かいせつ

しっぽで木のえだにぶら下がり、獲物を観察する。すきを見て、上空からおそいかかる。

おぼえるわざ

スカイアッパー、ハサミギロチン、どくづき

しんか

グライガー → グライオン

グライガー　GLIGER

とびさそりポケモン

ずかんばんごう	207
タイプ	じめん / ひこう
とくせい	かいりきバサミ / すながくれ
たかさ	1.1m
おもさ	64.8kg

いつもは、がけにはりついている。獲物を見つけると、羽を広げ風に乗り、おそいかかってくる。

かいせつ

音をたてず、すべるように滑空する。両腕の大きなツメと足のツメで、獲物の顔にしがみつき、毒バリをさす。

おぼえるわざ

どくばり、アクロバット、スカイアッパー

しんか

グライガー → グライオン

247

グラエナ GRAENA

グループで行動していた野生の血が残っているので、すぐれたトレーナーだけをリーダーとみとめて、命令にしたがう。

かみつきポケモン

ずかんばんごう	**262**
タイプ	あく ……
とくせい	いかく はやあし
たかさ	1.0m
おもさ	37.0kg

かいせつ

どうもうなうなり声をあげながら、しせいを低くしているときは、こうげきの前ぶれ。するどくとがったキバで、がぶりとかみつく。

おぼえるわざ

バークアウト、ほのおのキバ、とっしん

しんか

ポチエナ
→

グラエナ

248

クラブ　　CRAB

きけんがせまると、口からはき出すあわで全身を包んで、体を大きく見せようとする。

さわがにポケモン

ずかんばんごう	**098**
タイプ	みず ……
とくせい	かいりきバサミ シェルアーマー
たかさ	0.4m
おもさ	6.5kg

かいせつ
海の近くで見つかる。大きなハサミは、もぎとっても、あとからまた生えてくる。

おぼえるわざ
みずでっぽう、かたくなる、バブルこうせん

しんか

クラブ → キングラー

グランブル GRANBULU

わかい女性に大人気だが、おくびょうな上に繊細なので、番犬としては無能だ。

ようせいポケモン	
ずかんばんごう	210
タイプ	フェアリー……
とくせい	いかく はやあし
たかさ	1.4m
おもさ	48.7kg

かいせつ

あごの力は強力だが、争いを好まないので、めったにひろうする機会はないのだ。

おぼえるわざ

かみなりのキバ、こおりのキバ、げきりん

しんか

  ➡

ブルー　　　グランブル

クリムガン / CRIMGAN

あなぐらにすむ。体が冷えると動かなくなるので、日光浴は欠かさない。

ほらあなポケモン

ずかんばんごう	**621**
タイプ	ドラゴン ……
とくせい	さめはだ ちからずく
たかさ	1.6m
おもさ	139.0kg

かいせつ

きょうぼうで、ずるがしこい。ほかのポケモンがほった巣あなをうばって、すみかにする。

おぼえるわざ

ドラゴンテール、ばかぢから、メタルクロー

しんか

クリムガン — 進化しない

クルマユ / KURUMAYU

はごもりポケモン

ずかんばんごう	**541**
タイプ	むし / くさ
とくせい	リーフガード / ようりょくそ
たかさ	0.5m
おもさ	7.3kg

葉っぱで体を包みこんで、寒さをふせぐ。手近な落ち葉を食べながら、森を移動する。

かいせつ

クルマユのすむ森は、草木がよく育つ。クルマユが、落ち葉を栄養分に変えているのだ。

おぼえるわざ

はっぱカッター、くさぶえ、いとをはく

しんか

 クルミル →  クルマユ → ハハコモリ

クルミル　KURUMIRU

葉っぱをかみ切り、口から出す粘着糸でぬい合わせる。自分で服をつくるポケモン。

さいほうポケモン

ずかんばんごう	**540**
タイプ	むし くさ
とくせい	むしのしらせ ようりょくそ
たかさ	0.3m
おもさ	2.5kg

かいせつ
葉っぱから服をつくるので、ファッションデザイナーから、マスコットとして人気がある。

おぼえるわざ
いとをはく、むしくい、むしのさざめき

しんか

クルミル → クルマユ → ハハコモリ

グレイシア　GLACIA

しんせつポケモン

ずかんばんごう	**471**
タイプ	こおり ……
とくせい	ゆきがくれ ……
たかさ	0.8m
おもさ	25.9kg

グレイシアが放つ冷気は、パウダースノーをつくり出し、スキー場にひっぱりだこ。

かいせつ

ダイヤモンドダストをふらせる。美しさに見とれた獲物は、気づかぬうちにこおりついている。

おぼえるわざ

こごえるかぜ、フリーズドライ、ふぶき

しんか

イーブイ

グレイシア

クレセリア

CRESSELIA

飛行するときは、ベールのような羽から、光る粒子を出す。

みかづきポケモン

ずかんばんごう	488
タイプ	エスパー ……
とくせい	ふゆう ……
たかさ	1.5m
おもさ	85.6kg

かいせつ

クレセリアの羽根をもってねると、楽しいゆめが見られるという。三日月の化身とよばれている。

おぼえるわざ

みかづきのまい、オーロラビーム、きりさく

しんか

クレセリア　進化しない

グレッグル

GUREGGRU

どくづきポケモン	
ずかんばんごう	453
タイプ	どく かくとう
とくせい	きけんよち かんそうはだ
たかさ	0.7m
おもさ	23.0kg

かいせつ

ほほの毒ぶくろを鳴らして、てきをいかく。ひるんだすきに、毒突きをおみまいする。

おぼえるわざ

どくばり、わるだくみ、ヘドロばくだん

毒をうすめると薬になる。薬品会社のマスコットになって、人気者になった。

しんか　グレッグル → ドクロッグ

256

クレッフィ　CLEFFY

頭の先で、金属イオンをすいとる。カギににているのは、好きすぎて、まねているかららしい。

かぎたばポケモン

ずかんばんごう	707
タイプ	はがね フェアリー
とくせい	いたずらごころ ……
たかさ	0.2m
おもさ	3.0kg

かいせつ

カギを集め続けるポケモン。大事なカギをあずけると、なにがあっても守ってくれる。

おぼえるわざ

フェアリーロック、きんぞくおん、ふういん

しんか

クレッフィ

進化しない

257

クレベース　CREBASE

日中の活動で、体の亀裂は深くなるが、一晩で亀裂のない体にもどる。

ひょうざんポケモン

ずかんばんごう	**713**
タイプ	こおり ……
とくせい	マイペース アイスボディ
たかさ	2.0m
おもさ	505.0kg

かいせつ

こおりついた体は鋼鉄のようにかたい。立ちふさがるものを巨体でおしつぶし移動する。

おぼえるわざ

こごえるかぜ、こおりのキバ、ゆきなだれ

しんか

カチコール
➡

クレベース

258　＊亀裂：ひびわれ。

クロバット   CROBAT

両足が、羽に変化。音をたてずに高速で
飛び、獲物のうなじに、キバをたてる。

こうもりポケモン
ずかんばんごう	169
タイプ	どく ひこう
とくせい	せいしんりょく ……
たかさ	1.8m
おもさ	75.0kg

かいせつ
　4まいの羽を自在にあやつり、羽ばたく。せまいどうくつでも、スピードを落とさず飛び回れる。

おぼえるわざ
くろいまなざし、どくどく、
エアカッター

しんか

ズバット → ゴルバット → クロバット

259

クワガノン　KUWAGANNON

おなかで発電した電気を、大きなあごで収束させて、大出力のビームをうつ。

くわがたポケモン

ずかんばんごう	**738**
タイプ	むし でんき
とくせい	ふゆう ……
たかさ	1.5m
おもさ	45.0kg

かいせつ

予備バッテリーとして、デンヂムシをかかえて飛べば、大電力の電磁ビームを連射できる。

おぼえるわざ

10まんボルト、でんじほう、シザークロス

しんか

 →   →

アゴジムシ　→　デンヂムシ　→　クワガノン

ケイコウオ KEIKOUO

はねうおポケモン

ずかんばんごう	456
タイプ	みず ……
とくせい	すいすい よびみず
たかさ	0.4m
おもさ	7.0kg

かいせつ
ピンク色のもようは、夜になると光りだす。ダイバーに人気なので、リゾート地では、えづけされることも。

おぼえるわざ
あまごい、みずでっぽう、アクアリング

光る尾びれで獲物をさそう。昼は海面近くにいて、夜になると深みに移動。

しんか

ケイコウオ → ネオラント

261

ケーシィ　CASEY

ねながら、超能力をあやつる。ゆめの内容が、使う力にえいきょうする。

ねんりきポケモン

ずかんばんごう	**063**
タイプ	エスパー ……
とくせい	シンクロ せいしんりょく
たかさ	0.9m
おもさ	19.5kg

かいせつ

ねむったままテレポートできる。ねむりが深いほど、はなれた場所に移動するという。

おぼえるわざ

テレポート

しんか

ケーシィ → ユンゲラー → フーディン

ケケンカニ KEKENKANI

ハサミの中に冷気をためて、ぶんなぐる。ぶあつい氷のかべも、粉ごなにしてしまうぞ。

けがにポケモン

ずかんばんごう	740
タイプ	かくとう こおり
とくせい	かいりきバサミ てつのこぶし
たかさ	1.7m
おもさ	180.0kg

かいせつ

考えるより、まずなぐってみる。ゆきなだれをパンチのラッシュでおし返したという記録もある。

おぼえるわざ

れいとうパンチ、アイスハンマー、てっぺき

しんか

 マケンカニ →  ケケンカニ

＊ラッシュ：はげしいいきおいでこうげきすること。

ゲコガシラ　GEKOGASHIRA

あわで包んだ小石を投げるわざを使う。30メートル先の空きかんに当てるコントロール。

あわがえるポケモン

ずかんばんごう	**657**
タイプ	みず……
とくせい	げきりゅう……
たかさ	0.6m
おもさ	10.9kg

かいせつ

身軽さは、だれにも負けない。600メートルをこえるタワーのてっぺんまで、1分で登りきる。

おぼえるわざ

みずのはどう、りんしょう、なげつける

しんか

 → →

ケロマツ　ゲコガシラ　ゲッコウガ

264

ケッキング

KEKKING

ものぐさポケモン

ずかんばんごう	289
タイプ	ノーマル……
とくせい	なまけ……
たかさ	2.0m
おもさ	130.5kg

かいせつ

1日中、ねそべったままくらすポケモン。手のとどく場所に生えている草を食べ、草がなくなると、しぶしぶ場所を変える。

草原にきざまれた半径1メートルの輪っかは、ケッキングがねそべったまま、まわりの草を食べつくして、できたものだ。

おぼえるわざ

いばる、アームハンマー、なげつける

しんか

ナマケロ → ヤルキモノ → ケッキング

265

ゲッコウガ　GEKKOUGA

しのびポケモン

ずかんばんごう	**658**
タイプ	みず／あく
とくせい	げきりゅう ……
たかさ	1.5m
おもさ	40.0kg

忍者のように神出鬼没。すばやい動きでほんろうしつつ、水の手裏剣で切りさく。

かいせつ
水をあっしゅくして、手裏剣をつくり出す。高速回転させて飛ばすと、金属も真っ二つ。

おぼえるわざ
みずしゅりけん、ハイドロポンプ、まきびし

しんか

 → →

ケロマツ　ゲコガシラ　ゲッコウガ

ゲノセクト　GENESECT

こせいだいポケモン		
ずかんばんごう	**649**
タイプ	むし　はがね
とくせい	ダウンロード　……
たかさ	1.5m
おもさ	82.5kg

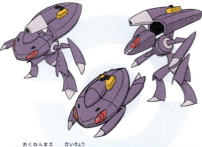

かいせつ
＊プラズマ団によって改造された、古代の虫ポケモン。背中の大砲がパワーアップした。

おぼえるわざ
テクノバスター、でんじほう、シザークロス

3億年前に最強のハンターとしておそれられていた。プラズマ団に改造された。

しんか　ゲノセクト　→　進化しない

＊プラズマ団：イッシュ地方で活動する組織。

267

ケムッソ KEMUSSO

おしりのトゲで木の皮をはがして、しみ出した樹液を食料にする。きゅうばんの足は、ガラスでもすべらない。

いもむしポケモン

ずかんばんごう 265

タイプ	むし ……
とくせい	りんぷん ……
たかさ	0.3m
おもさ	3.6kg

かいせつ

エサにしようとつかまえにきたオオスバメに、おしりのトゲを向けて、抵抗する。しみ出した毒で、相手を弱らせるぞ。

おぼえるわざ

たいあたり、いとをはく、どくばり

しんか

ケララッパ　KERARAPPA

食べた木の実のタネを口から発射。タネは大地に散らばり、新たな草木が生まれるのだ。

ラッパぐちポケモン

ずかんばんごう	732
タイプ	ノーマル ひこう
とくせい	するどいめ スキルリンク
たかさ	0.6m
おもさ	14.8kg

かいせつ

クチバシの先端を反り返らせ、100以上の鳴き声を自由に鳴き分けることができる。

おぼえるわざ

ロックブラスト、いわくだき、エコーボイス

しんか

 → → →

ツツケラ　ケララッパ　ドデカバシ

ケルディオ

いつものすがた

KELDIO ITSUMO NO SUGATA

わかごまポケモン

ずかんばんごう	**647**
タイプ	みず かくとう
とくせい	せいぎのこころ ……
たかさ	1.4m
おもさ	48.5kg

きびしい戦いをくぐりぬけて、ひたいのツノがきたえられると、真の力が目覚めるという。

かいせつ

コバルオン、テラキオン、*ビリジオンに戦いを学んだ。世界をかけめぐり、修行を続ける。

おぼえるわざ

せいなるつるぎ、アクアテール、にどげり

しんか

ケルディオ
(いつものすがた)

進化しない

*ビリジオン：「下」にのっているポケモンだよ。

KELDIO
KAKUGO NO SUGATA

わかごまポケモン

ずかんばんごう	**647**
タイプ	みず かくとう
とくせい	せいぎのこころ ……
たかさ	1.4m
おもさ	48.5kg

アケサタナハマヤラワ

かいせつ

戦う覚悟を決めたことで、全身に気力がみなぎり、ケルディオのすがたを変えた。

おぼえるわざ

しんぴのつるぎ、せいなるつるぎ、にどげり

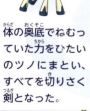

体の奥底でねむっていた力をひたいのツノにまとい、すべてを切りさく剣となった。

しんか

ケルディオ
（かくごのすがた）

進化しない

271

ケロマツ KEROMATSU

あわがえるポケモン	
ずかんばんごう	656
タイプ	みず ……
とくせい	げきりゅう ……
たかさ	0.3m
おもさ	7.0kg

むねと背中からあわを出す。弾力のあるあわでこうげきを受け止めて、ダメージをへらす。

かいせつ

繊細なあわで体を包み、はだを守る。のんきに見せかけて、ぬけ目なく周囲をうかがう。

おぼえるわざ

はたく、みずのはどう、でんこうせっか

しんか

ケロマツ → ゲコガシラ → ゲッコウガ

ゲンガー　GANGAR

シャドーポケモン

ずかんばんごう 094

タイプ	ゴースト どく
とくせい	のろわれボディ ……
たかさ	1.5m
おもさ	40.5kg

かいせつ

満月の夜、かげが勝手に動きだして笑うのは、ゲンガーのしわざにちがいない。

山でそうなんしたとき、命をうばいに暗闇からあらわれることがあるという。

おぼえるわざ

シャドーボール、くろいまなざし、ゆめくい

しんか

 →   →

ゴース　　ゴースト　　ゲンガー

ゲンガー

KYODAIMAX GANGAR

キョダイマックスのすがた

命をねらい、わなをはる。口の前に立つと、大切な人がよぶ声が聞こえる。

シャドーポケモン

ずかんばんごう	**094**
タイプ	ゴースト どく
とくせい	のろわれボディ ……
たかさ	20.0m 〜
おもさ	???.?kg

かいせつ

のろいのエネルギーに満ちている。巨大な口の向こう側は、あの世へと続いているという。

おぼえるわざ

キョダイゲンエイ

メガゲンガー

MEGA GANGAR

ゲンガー

異次元を通って、どこにでもあらわれる。かべから足だけ飛び出したときは、さわぎになった。

シャドーポケモン

ずかんばんごう	**094**
タイプ	ゴースト どく
とくせい	かげふみ ……
たかさ	1.4m
おもさ	40.5kg

かいせつ

すべてのものの命をねらう。主であるトレーナーにさえ、のろいをかけようとねらっているぞ。

おぼえるわざ

シャドーパンチ、シャドーボール、あくのはどう

275

ケンタロス KENTAUROS

ガラルにくらすケンタロスは気性があらく、人間が背に乗ることをゆるさない。

あばれうしポケモン

ずかんばんごう	**128**
タイプ	ノーマル ……
とくせい	いかく いかりのつぼ
たかさ	1.4m
おもさ	88.4kg

かいせつ

しっぽで自分の体をたたきだしたら、きけんだぞ。もうスピードでつっこんでくる。

おぼえるわざ

とっしん、つのでつく、ギガインパクト

しんか

ケンタロス　　進化しない

ケンホロウ KENHALLOW

プライドポケモン

ずかんばんごう	521
タイプ	ノーマル／ひこう
とくせい	はとむね／きょううん
たかさ	1.2m
おもさ	29.0kg

オス

メス

高い飛行能力をもち、メスは持久力にすぐれる。飛行スピードは、オスが勝る。

かいせつ
かしこいぶん、プライドも高い。ケンホロウのトレーナーになれば、みんなに一目置かれるよ。

おぼえるわざ
ゴッドバード、エアスラッシュ、みきり

しんか

マメパト → ハトーボー → ケンホロウ

コアルヒー KOARUHIE

てきにおそわれると、全身の羽毛から、水しぶきを出す。水煙にまぎれて、にげるのだ。

みずどりポケモン

ずかんばんごう	**580**
タイプ	みず ひこう
とくせい	するどいめ はとむね
たかさ	0.5m
おもさ	5.5kg

かいせつ

飛ぶよりも泳ぐのが得意で、水中にもぐっては、大好きな水ゴケをうれしそうに食べる。

おぼえるわざ

みずでっぽう、つばさでうつ、あまごい

しんか

コアルヒー → スワンナ

コイキング　KOIKING

さかなポケモン

ずかんばんごう	**129**
タイプ	みず ……
とくせい	すいすい ……
たかさ	0.9m
おもさ	10.0kg

力もスピードもほとんどダメ。世界で一番弱くて、なさけないポケモンだ。

かいせつ
流れの速いところでは、ただ流されていくだけの、ひ弱でなさけないポケモン。

おぼえるわざ
はねる、たいあたり、じたばた

しんか　コイキング → ギャラドス

279

コイル　　　COIL

じしゃくポケモン	
ずかんばんごう	**081**
タイプ	でんき　はがね
とくせい	じりょく　がんじょう
たかさ	0.3m
おもさ	6.0kg

かいせつ
体内の電気が切れて、地面に転がっていることもある。電池をあげると、動きだすよ。

おぼえるわざ
でんきショック、ちょうおんぱ、でんじは

電気を食べて生きている。左右のユニットから電磁波を放射しながら、空を飛ぶ。

しんか

コイル → レアコイル → ジバコイル

280

ゴウカザル GOUKAZARU

かえんポケモン

ずかんばんごう	392
タイプ	ほのお かくとう
とくせい	もうか ……
たかさ	1.2m
おもさ	55.0kg

すばやさで、相手をほんろうする。両手両足を使った、独特の戦い方をする。

かいせつ

頭でもえるほのおのように、はげしい性格のポケモン。すばやさでは、だれにも負けない。

おぼえるわざ

フレアドライブ、インファイト、フェイント

しんか

 → →

ヒコザル　モウカザル　ゴウカザル

281

ゴーゴート　GOGOAT

ライドポケモン

ずかんばんごう	**673**
タイプ	くさ ……
とくせい	そうしょく ……
たかさ	1.7m
おもさ	91.0kg

山岳地帯で生活する。ツノをぶつけ合う力くらべの勝者が、むれのリーダーだ。

かいせつ

ツノをにぎるわずかなちがいから、トレーナーの気持ちを読みとるので、一体となって走れるのだ。

おぼえるわざ

ウッドホーン、リーフブレード、とっしん

しんか

 →

メェークル　ゴーゴート

282

ゴース　　GHOS

うすいガスのような体で、どこにでもしのびこむが、風がふくと、ふき飛ばされる。

ガスじょうポケモン

ずかんばんごう	092
タイプ	ゴースト／どく
とくせい	ふゆう／……
たかさ	1.3m
おもさ	0.1kg

かいせつ

ガスから生まれた生命体。毒をふくんだガスの体に包まれると、だれでも気絶する。

おぼえるわざ

あやしいひかり、したでなめる、うらみ

しんか

ゴース → ゴースト → ゲンガー

283

ゴースト GHOST

ガスじょうポケモン
ずかんばんごう	093
タイプ	ゴースト どく
とくせい	ふゆう ……
たかさ	1.6m
おもさ	0.1kg

暗闇でだれもいないのに、見られているような気がしたら、そこにゴーストがいるのだ。

かいせつ
ガス状のしたでなめられると、体のふるえが止まらなくなり、やがては死にいたるという。

おぼえるわざ
さいみんじゅつ、ナイトヘッド、のろい

しんか
 → →

ゴース　　　ゴースト　　　ゲンガー

コータス COTOISE

使われなくなった炭鉱には、たくさんのコータスがすみついて、石炭をせっせとほっている。

せきたんポケモン

ずかんばんごう	**324**
タイプ	ほのお ……
とくせい	しろいけむり ひでり
たかさ	0.5m
おもさ	80.4kg

かいせつ

こうらの中で石炭をもやし、エネルギーにしている。ピンチのときは、黒いススをふき出す。

おぼえるわざ

かえんほうしゃ、ねっぷう、かえんぐるま

しんか

コータス　進化しない

ゴーリキー　GORIKY

つかれることのない
強靭な肉体をもつ。
重い荷物の運搬など
の仕事を手伝う。

かいりきポケモン

ずかんばんごう	**067**
タイプ	かくとう ……
とくせい	こんじょう ノーガード
たかさ	1.5m
おもさ	70.5kg

かいせつ

すごく強靭な肉体なので、パワーセーブベルトをつけて、強さをせいぎょしている。

おぼえるわざ

はたきおとす、けたぐり、ちきゅうなげ

しんか

 → →

ワンリキー　ゴーリキー　カイリキー

コオリッポ
アイスフェイス
KORIPPO

ペンギンポケモン

ずかんばんごう	**875**
タイプ	こおり ……
とくせい	アイスフェイス ……
たかさ	1.4m
おもさ	89.0kg

かいせつ
とても寒い場所から、流れ流されてやってきた。氷で、顔をつねに冷やしているのだ。

暑さに弱い顔を、いつも氷で冷やしている。頭の毛を海にたらしてエサをつる。

おぼえるわざ
フリーズドライ、オーロラベール、ふぶき

しんか

コオリッポ
(アイスフェイス)

進化しない

287

コオリッポ
KORIPPO

ナイスフェイス

ペンギンポケモン

ずかんばんごう	**875**
タイプ	こおり ……
とくせい	アイスフェイス ……
たかさ	1.4m
おもさ	89.0kg

顔の氷がくだけてしまったすがた。なやましい顔つきの*とりこになる人も多い。

かいせつ
頭の毛は、脳の表面につながっている。考えごとをすると、冷気が発生する。

おぼえるわざ
なみのり、ウェザーボール、こごえるかぜ

しんか

コオリッポ
（ナイスフェイス）

進化しない

288　＊とりこ：なにかに夢中になり、ほかのものに注意が向かない状態。

コクーン COCOON

自分では、ほとんど動けないが、あぶなくなるとハリを出して、毒をあたえることもあるらしい。

さなぎポケモン

ずかんばんごう	014
タイプ	むし どく
とくせい	だっぴ ……
たかさ	0.6m
おもさ	10.0kg

かいせつ

ほとんど動かず、木につかまっているが、中では進化のじゅんびで大いそがし。そのしょうこに、体が熱くなっているぞ。

おぼえるわざ

かたくなる

しんか

ビードル → コクーン → スピアー

ゴクリン GOKULIN

いぶくろポケモン	
ずかんばんごう	316
タイプ	どく ……
とくせい	ヘドロえき ねんちゃく
たかさ	0.4m
おもさ	10.3kg

消化するときに発生するガスは強烈な悪臭だ。

かいせつ

体のほとんどが胃袋でできているので、自分と同じ大きさのものものみこむ。特殊な胃液で、なんでも消化するぞ。

おぼえるわざ

のみこむ、たくわえる、ヘドロこうげき

しんか

ゴクリン → マルノーム

ココガラ　KOKOGARA

ことりポケモン

ずかんばんごう	821
タイプ	ひこう ……
とくせい	するどいめ きんちょうかん
たかさ	0.2m
おもさ	1.8kg

小さい体で機敏に飛んですきをつく戦法で、体の大きな相手を手玉にとる。

かいせつ
どんな強敵にもいどみかかる勇敢な性質。返りうちにあいながらも、きたえられていく。

おぼえるわざ
みだれづき、にらみつける、つめとぎ

しんか

ココガラ → アオガラス → アーマーガア

ココドラ COKODORA

進化のとき、はがねの鎧がはがれ落ちる。昔の人は、拾って生活に役立てた。

てつヨロイポケモン	
ずかんばんごう	304
タイプ	はがね いわ
とくせい	がんじょう いしあたま
たかさ	0.4m
おもさ	60.0kg

かいせつ

鉄鉱石や、たまに鉄道のレールを食べて、体を守るはがねの鎧がつくられる。

おぼえるわざ

いわなだれ、メタルクロー、てっぺき

しんか

ココドラ → コドラ → ボスゴドラ

ココロモリ KOKOROMORI

超強力な音波を放ったあとは、つかれて、しばらく飛べなくなるよ。

きゅうあいポケモン

ずかんばんごう	**528**
タイプ	エスパー ひこう
とくせい	てんねん ぶきよう
たかさ	0.9m
おもさ	10.5kg

かいせつ

鼻の形がおめでたいと、幸福をよぶシンボルとして、祭る地域もあるという。

おぼえるわざ

エアカッター、サイコキネシス、みらいよち

しんか

コロモリ → ココロモリ

コジョフー   KOJOFU

小さくても気性はあらい。油断して近づく相手には、華麗な連打をおみまいする。

ぶじゅつポケモン

ずかんばんごう	619
タイプ	かくとう ……
とくせい	せいしんりょく さいせいりょく
たかさ	0.9m
おもさ	20.0kg

かいせつ
よくきたえられたコジョフーは、1分で100回をこえる*チョップを打つことができる。

おぼえるわざ
とんぼがえり、ドレインパンチ、つめとぎ

しんか

コジョフー → コジョンド

*チョップ：上から物をたたき切るようにして打つ打ち方。
*華麗：はなやかで美しいようす。

コジョンド　KOJONDO

目にも止まらぬスピードでくり出すけりは、巨大な岩もこっぱみじんにくだく。

ぶじゅつポケモン

ずかんばんごう	620
タイプ	かくとう ……
とくせい	せいしんりょく / さいせいりょく
たかさ	1.4m
おもさ	35.5kg

かいせつ
真の強敵と会うと、身軽になるため両手の毛をかみちぎり、すててしまう。

おぼえるわざ
はっけい、はどうだん、みだれひっかき

しんか

コジョフー →
コジョンド

コスモウム COSMOVUM

人知をこえたかたさのカラに包まれている。星の光を浴びて成長する。

げんしせいポケモン

ずかんばんごう	790
タイプ	エスパー……
とくせい	がんじょう……
たかさ	0.1m
おもさ	999.9kg

かいせつ

大気のちりを、すごいいきおいですいこみ、進化のエネルギーをコアで懸命につくっている。

おぼえるわざ

コスモパワー、テレポート

しんか

コスモッグ → コスモウム → ソルガレオ　ルナアーラ

コスモッグ　COSMOG

せいうんポケモン

ずかんばんごう 789

タイプ	エスパー ……
とくせい	てんねん ……
たかさ	0.2m
おもさ	0.1kg

無警戒で好奇心が強く、あぶない目にあうことも多い。ピンチになるとワープでにげる。

かいせつ
別の宇宙からやって来た。ガスの体はとても軽く、そよ風にも流れてしまうほどだ。

おぼえるわざ
はねる、テレポート

しんか　コスモッグ → コスモウム → ソルガレオ　ルナアーラ

297

コソクムシ KOSOKUMUSHI

むれでかたまり、つねにまわりをけいかいしている。てきの気配（けはい）を感（かん）じると散（ち）り散（ぢ）りににげだす。

そうこうポケモン

ずかんばんごう	**767**
タイプ	むし みず
とくせい	にげごし ……
たかさ	0.5m
おもさ	12.0kg

かいせつ

くさったものやゴミでもなんでも食（た）べ回（まわ）る、自然（しぜん）の掃除屋（そうじや）。巣（す）のまわりは、いつもきれい。

おぼえるわざ

むしのていこう、すなかけ、まるくなる

しんか

コソクムシ → グソクムシャ

コダック KODUCK

あひるポケモン
ずかんばんごう	**054**
タイプ	みず ……
とくせい	しめりけ ノーてんき
たかさ	0.8m
おもさ	19.6kg

ストレスがたまると、頭痛（ずつう）*がエスカレート。強力（きょうりょく）な念力（ねんりき）で、まわりをあっとうする。

かいせつ
いつも頭痛（ずつう）になやんでいる。不思議（ふしぎ）な力（ちから）を爆発（ばくはつ）させると、しばらくいたみは治（おさ）まるようだ。

おぼえるわざ
ねんりき、ドわすれ、しねんのずつき

しんか

コダック → ゴルダック

*エスカレート：ひどくなること。

299

ゴチミル　GOTHIMIRU

星のかがやくばんに、もっともサイコパワーが高まるらしい。宇宙との関係は、不明。

あやつりポケモン

ずかんばんごう	**575**
タイプ	エスパー ……
とくせい	おみとおし かちき
たかさ	0.7m
おもさ	18.0kg

かいせつ

星がかがやく夜に、ねむった子供たちを連れ去るといわれ、*制裁の魔女ともよばれる。

おぼえるわざ

サイコキネシス、みらいよち、なかよくする

しんか

ゴチム

ゴチミル

ゴチルゼル

300　＊制裁：よくないことをした人や、決まりをやぶった人をこらしめること。

ゴチム

GOTHIMU

ぎょうしポケモン	
ずかんばんごう	574
タイプ	エスパー ……
とくせい	おみとおし かちき
たかさ	0.4m
おもさ	5.8kg

だれもいないのに、ボソッと鳴く。ゴチムにしか見えていないなにかと、話しているらしい。

かいせつ

まだまだ赤ちゃんだけれど、リボンににた触角にためたサイコパワーで、戦うこともある。

おぼえるわざ

サイケこうせん、うそなき、さいみんじゅつ

しんか

ゴチム → ゴチミル → ゴチルゼル

301

ゴチルゼル GOTHIRUSELLE

てんたいポケモン

ずかんばんごう	576
タイプ	エスパー ……
とくせい	おみとおし かちき
たかさ	1.5m
おもさ	44.0kg

ゴチルゼルに自分の最期を見せられた悪人は、その日を最後に行方をたった。

かいせつ

星の動きから未来を見る。すさまじいサイコパワーをもつが、争いは好まない気質。

おぼえるわざ

サイコショック、マジックルーム、おだてる

しんか

ゴチム
→

ゴチミル
→

ゴチルゼル

302

コドラ　KODORA

体をぶつけ合ってなわばりを争う。はがねの鎧は、よく見るとキズやへこみがあるのだ。

てつヨロイポケモン

ずかんばんごう 305

タイプ	はがね いわ
とくせい	がんじょう いしあたま
たかさ	0.9m
おもさ	120.0kg

かいせつ

コドラがくらす山は、わき水と鉄鉱石がほうふなので、人と争いになることも多かった。

おぼえるわざ

アイアンテール、すてみタックル、とっしん

しんか

ココドラ　コドラ　ボスゴドラ

ゴニョニョ GONYONYO

鳴き声は、100デシベルをこえる音量。近くで鳴かれると、一日頭痛が治まらない。

ささやきポケモン

ずかんばんごう	293
タイプ	ノーマル ……
とくせい	ぼうおん ……
たかさ	0.6m
おもさ	16.3kg

かいせつ

鳴き始めると、自分の声におどろいて、さらにはげしく鳴く。鳴きつかれるとねむってしまう。

おぼえるわざ

ちょうおんぱ、さわぐ、エコーボイス

しんか

ゴニョニョ → ドゴーム → バクオング

*デシベル：音の強さを表す単位。

コノハナ KONOHANA

森のおく深くに生息。
頭の葉っぱで笛をつ
くり、不安にさせる
音色を出す。

いじわるポケモン

ずかんばんごう	274
タイプ	くさ あく
とくせい	ようりょくそ はやおき
たかさ	1.0m
おもさ	28.0kg

かいせつ

うっそうとしげった森にす
むポケモン。たまに森を出て
は、人をおどろかせる。長い
鼻をつかまれるのは大きらい。

おぼえるわざ

はっぱカッター、だいばくは
つ、ふいうち

しんか

タネボー → コノハナ → ダーテング

305

コバルオン

COBALON

てっしんポケモン	
ずかんばんごう	**638**
タイプ	はがね かくとう
とくせい	せいぎのこころ ……
たかさ	2.1m
おもさ	250.0kg

かいせつ

生まれながら、リーダーの風格を身につける。きょうぼうな相手も、コバルオンの前では、おとなしい。

おぼえるわざ

せいなるつるぎ、メタルバースト、にどげり

テラキオン、＊ビリジオンとともに、イッシュ地方のポケモンを守り、人と戦った伝説がある。

しんか　コバルオン　進化しない

306　＊ビリジオン：「下」にのっているポケモンだよ。

ゴビット　　GOBIT

なぞのエネルギーによって活動。古代から動き続けているので、そろそろパワーがつきるとも。

ゴーレムポケモン

ずかんばんごう	622
タイプ	じめん ゴースト
とくせい	てつのこぶし ぶきよう
たかさ	1.0m
おもさ	92.0kg

かいせつ

粘土から生み出された古代のポケモン。なぜか、大岩をならべ続けるものもいる。

おぼえるわざ

メガトンパンチ、ナイトヘッド、じだんだ

しんか

ゴビット → ゴルーグ

307

コフーライ　KOFUURAI

かたい体は、鳥ポケモンのクチバシでもキズひとつつかない。粉をまき散らして防戦する。

こなふきポケモン

ずかんばんごう	**665**
タイプ	むし ……
とくせい	だっぴ ……
たかさ	0.3m
おもさ	8.4kg

かいせつ

しげみのかげにかくれてくらす。てきにおそわれると、体の毛をするどく逆立てて、いかくする。

おぼえるわざ

まもる、かたくなる

しんか

 → → →

コフキムシ　コフーライ　ビビヨン

308

コフキムシ　KOFUKIMUSHI

体をおおう粉が体温を調節するので、どんな気候や風土の地域でもくらせる。

こなふきポケモン

ずかんばんごう	664
タイプ	むし ……
とくせい	りんぷん ふくがん
たかさ	0.3m
おもさ	2.5kg

かいせつ

鳥ポケモンにおそわれると、黒い粉をまき散らす。ふれるとマヒする毒の粉だ。

おぼえるわざ

たいあたり、いとをはく、しびれごな

しんか

コフキムシ　→　コフーライ　→　ビビヨン

ゴマゾウ　GOMAZOU

ながはなポケモン

ずかんばんごう	**231**
タイプ	じめん ……
とくせい	ものひろい ……
たかさ	0.5m
おもさ	33.5kg

長い鼻を使って、水浴びをする。仲間が集まってくると水をかけ合う。ずぶぬれの体を水辺でかわかす。

かいせつ

川のほとりに、たてあなをほってくらす。すみかの近くに鼻の印をつけて、自分の場所だと、仲間に教えている。

おぼえるわざ

じたばた、たいあたり、すてみタックル

しんか

ゴマゾウ → ドンファン

コマタナ　KOMATANA

はものポケモン

ずかんばんごう	**624**
タイプ	あく / はがね
とくせい	まけんき / せいしんりょく
たかさ	0.5m
おもさ	10.2kg

かいせつ

キリキザンをボスとしたむれをつくる。むれをひきいることをゆめ見て、毎日たんれんを積む。

おぼえるわざ

きりさく、れんぞくぎり、メタルクロー

するどいやいばをあやつり、てきを追いつめる。河原の石で、体のやいばを手入れする。

しんか

コマタナ → キリキザン

311

コモルー　KOMORUU

ホネと同じ成分でできたかたいカラで、体を包む。進化のエネルギーをたくわえる。

にんたいポケモン

ずかんばんごう	**372**
タイプ	ドラゴン……
とくせい	いしあたま……
たかさ	1.1m
おもさ	110.5kg

かいせつ

エサを食べず空腹にたえる。ためたエネルギーを使い切ると、進化が始まるらしい。

おぼえるわざ

ドラゴンクロー、しねんのずつき、げきりん

しんか

タツベイ

コモルー

ボーマンダ

コラッタ　KORATTA

ねずみポケモン

ずかんばんごう	019
タイプ	ノーマル ……
とくせい	にげあし こんじょう
たかさ	0.3m
おもさ	3.5kg

ありふれたポケモンだが注意。するどい前歯は、かたい材木さえ簡単にへしおる。

かいせつ

キバが2つ。とにかくなんでもかじってみる。1ぴき見つけたら、40ぴきはそこにすんでいるはず。

おぼえるわざ

かみくだく、でんこうせっか、ふいうち

しんか

コラッタ → ラッタ

コラッタ
アローラのすがた
ALOLA KORATTA

嗅覚するどいヒゲをもつ。かくしてある食べ物のにおいをかぎとり、たちどころに見つけ出す。

ねずみポケモン

ずかんばんごう	**019**
タイプ	あく ノーマル
とくせい	くいしんぼう はりきり
たかさ	0.3m
おもさ	3.8kg

かいせつ
新鮮なものにしか、興味をしめさない。買い物に連れていくと、食材選びのとき助かる。

おぼえるわざ
でんこうせっか、ダメおし、すてみタックル

しんか

コラッタ（アローラのすがた） → ラッタ（アローラのすがた）

ゴリランダー　GORIRANDER

ドラマーポケモン

ずかんばんごう	812
タイプ	くさ ……
とくせい	しんりょく ……
たかさ	2.1m
おもさ	90.0kg

特別な切りかぶのパワーを、ドラミングでコントロール。根っこをあやつって戦う。

かいせつ

＊ドラムテクニックにすぐれたものが、ボスになる。おだやかな気性で、グループの調和を重んじる。

おぼえるわざ

ドラムアタック、ばくおんぱ、がむしゃら

しんか

 ➡ ➡

サルノリ　　バチンキー　　ゴリランダー

＊ドラム：打楽器のたいこ。

315

ゴリランダー

KYODAIMAX GORIRANDER

キョダイマックスのすがた

ゴリランダー

キョダイマックスのパワーによって切りかぶは成長して、まるで森林のようなドラムになった。

ドラマーポケモン

ずかんばんごう	**812**
タイプ	くさ ……
とくせい	しんりょく ……
たかさ	28.0m〜
おもさ	???.?kg

かいせつ

ゴリランダーは、森のドラムと1つとなり、ガラル全土をゆらすドラムビートをきざみ続ける。

おぼえるわざ

キョダイコランダ

＊ドラム：打楽器のたいこ。

コリンク KOLINK

せんこうポケモン

ずかんばんごう	403
タイプ	でんき ……
とくせい	とうそうしん いかく
たかさ	0.5m
おもさ	9.5kg

筋肉(きんにく)の収縮(しゅうしゅく)で電気(でんき)をつくる。武者(むしゃ)ぶるいは、はげしく発電(はつでん)しているしょうこ。

かいせつ
体毛(たいもう)が電気(でんき)で発光(はっこう)する。明(あか)るく光(ひか)るしっぽの先(さき)をふって、仲間(なかま)にサインを送(おく)る。

おぼえるわざ
でんきショック、でんじは、かみくだく

しんか

コリンク → ルクシオ → レントラー

＊収縮(しゅうしゅく)：ちぢむこと。

317

ゴルーグ　　GOLOOG

ゴーレムポケモン

ずかんばんごう	623
タイプ	じめん ゴースト
とくせい	てつのこぶし ぶきよう
たかさ	2.8m
おもさ	330.0kg

古代人のお城のかべには、ゴルーグがビームをうつための砲台のような台座がある。

かいせつ

体内に、エネルギーを生み出す*永久機関があるというが、いまだに解明はされていない。

おぼえるわざ

ゴーストダイブ、10まんばりき、じしん

しんか

ゴビット　→　ゴルーグ

318　＊永久機関：いつまでも止まることなく動き続ける装置や機械。

ゴルダック　GOLDUCK

川をよごした人間を水中に引きこみ連れ去る昔話が、残されている。

あひるポケモン

ずかんばんごう	055
タイプ	みず ……
とくせい	しめりけ ノーてんき
たかさ	1.7m
おもさ	76.6kg

かいせつ

流れのおだやかな川にすむ。長い手足で水をかき分け、ゆうがな泳ぎを見せる。

おぼえるわざ

ハイドロポンプ、アクアテール、みずびたし

しんか

コダック
→

ゴルダック

ゴルバット GOLBAT

こうもりポケモン

ずかんばんごう	**042**
タイプ	どく ひこう
とくせい	せいしんりょく ……
たかさ	1.6m
おもさ	55.0kg

小さな足で、器用に歩く。ねている獲物にしのびより、キバをつきたて、血をすするのだ。

かいせつ

生き物の血液が好物。はらぺこの仲間に、すった血を分けあたえることもあるという。

おぼえるわざ

きゅうけつ、エアカッター、どくどくのキバ

しんか

ズバット → ゴルバット → クロバット

ゴローニャ　GOLONYA

メガトンポケモン
ずかんばんごう **076**

タイプ	いわ / じめん
とくせい	いしあたま / がんじょう
たかさ	1.4m
おもさ	300.0kg

かいせつ

年老いると、脱皮しなくなる。長く長く生きたゴローニャのカラは、コケむしていて緑だ。

脱皮したてのときは、全体が白っぽくやわらかいが、すぐに空気にふれてかたくなる。

おぼえるわざ

ヘビーボンバー、いわおとし、だいばくはつ

しんか

イシツブテ → ゴローン → ゴローニャ

ゴローニャ

アローラのすがた

ALOLA GOLONYA

電気をおびた岩を、磁力で加速させて、うち出す。直撃しなくても、電撃でしとめる。

メガトンポケモン

ずかんばんごう	**076**
タイプ	いわ / でんき
とくせい	じりょく / がんじょう
たかさ	1.7m
おもさ	316.0kg

かいせつ

気むずかしくて頑固。きげんをそこねると、全身から放電し、雷鳴のような声でほえる。

おぼえるわざ

スパーク、ロックブラスト、ハードローラー

しんか

イシツブテ（アローラのすがた） → ゴローン（アローラのすがた） → ゴローニャ（アローラのすがた）

ゴローン　GOLONE

がんせきポケモン
ずかんばんごう	075
タイプ	いわ / じめん
とくせい	いしあたま / がんじょう
たかさ	1.0m
おもさ	105.0kg

かいせつ
がけを登り、山頂を目指す。てっぺんに着くなり、すぐに来た山道を転がり落ちていく。

おぼえるわざ
ロックカット、すてみタックル、いわおとし

山道をよく転がっている。通り道になにがあろうと、いっさい気にしていない。

しんか

イシツブテ → ゴローン → ゴローニャ

323

ゴローン

アローラのすがた

ALOLA GOLONE

ゴローン同士争うと、あたりに光と爆音がする。地元の人は、陸花火とよんでいる。

がんせきポケモン

ずかんばんごう	075
タイプ	いわ でんき
とくせい	じりょく がんじょう
たかさ	1.0m
おもさ	110.0kg

かいせつ

山道を転がり下りるとき、じゃまなものはかたっぱしからはね飛ばし、かつ、感電させる。

おぼえるわざ

じゅうでん、かみなりパンチ、いわおとし

しんか

 → →

イシツブテ（アローラのすがた） → ゴローン（アローラのすがた） → ゴローニャ（アローラのすがた）

コロトック KOROTOCK

こおろぎポケモン

ずかんばんごう	402
タイプ	むし……
とくせい	むしのしらせ……
たかさ	1.0m
おもさ	25.5kg

感情をメロディで表す。メロディの法則性を、学者たちが研究している。

かいせつ

鳴くときは、ナイフのようなうでをむねの前で交差させる。そっきょうでメロディをつくる。

おぼえるわざ

れんぞくぎり、シザークロス、とどめばり

しんか

 →

コロボーシ　　コロトック

325

コロボーシ KOROBOHSHI

触角同士がぶつかると、コロンコロンと木琴ににた音色をかなでる。

こおろぎポケモン

ずかんばんごう	**401**
タイプ	むし ……
とくせい	だっぴ ……
たかさ	0.3m
おもさ	2.2kg

かいせつ

触角をぶつけ合って鳴らす音で、仲間と会話をする。音色は、秋の夜の*風物詩。

おぼえるわざ

なきごえ、むしくい、むしのていこう

しんか

コロボーシ → コロトック

326　＊風物詩：その季節の感じをよく表しているもの。

コロモリ　KOROMORI

＊超音波を放ちながら、フラフラと飛び回り、エサの虫ポケモンをさがしている。

こうもりポケモン

ずかんばんごう	527
タイプ	エスパー ひこう
とくせい	てんねん ぶきよう
たかさ	0.4m
おもさ	2.1kg

かいせつ

どうくつを見上げて、かべにハート型のあとがあれば、コロモリがすんでいるしょうこ。

おぼえるわざ

かぜおこし、ねんりき、シンプルビーム

しんか

コロモリ　→　ココロモリ

＊超音波：人間の耳には聞こえない高い音。

ゴロンダ GORONDA

気性があらく、腕力でだまらせる。タチフサグマとの一騎打ちに、闘志をもやす。

こわもてポケモン

ずかんばんごう	**675**
タイプ	かくとう あく
とくせい	てつのこぶし かたやぶり
たかさ	2.1m
おもさ	136.0kg

かいせつ

葉っぱで、相手の動きを読む。大型ダンプカーを一撃でスクラップにするパンチをもつ。

おぼえるわざ

つじぎり、バレットパンチ、すてゼリフ

しんか

 →

ヤンチャム　　　ゴロンダ

コンパン　KONGPANG

レーダーになる大きな目は、明るいところでは、小さな目が集まってできているのがわかる。

こんちゅうポケモン

ずかんばんごう	**048**
タイプ	むし どく
とくせい	ふくがん いろめがね
たかさ	1.0m
おもさ	30.0kg

かいせつ

身を守るために、細くかたい体毛が全身をおおうようになったといわれる。小さな獲物を見のがさない目をもつ。

おぼえるわざ

たいあたり、どくのこな、きゅうけつ

しんか

コンパン → モルフォン

ゴンベ GONBE

おおぐいポケモン

ずかんばんごう	446
タイプ	ノーマル ……
とくせい	ものひろい あついしぼう
たかさ	0.6m
おもさ	105.0kg

体毛の下に、エサを貯める。信頼した相手には、一口だけ分けてくれることも。

かいせつ

とにかく、たくさん食べることに夢中。味も気にしないし、くさっていても平気なのだ。

おぼえるわざ

のしかかり、はらだいこ、たくわえる

しんか

ゴンベ → カビゴン

サーナイト　SIRNIGHT

ほうようポケモン		
ずかんばんごう	282	
タイプ	エスパー フェアリー	
とくせい	シンクロ トレース	
たかさ	1.6m	
おもさ	48.4kg	

未来を予知する力をもつ。トレーナーを守るときに、最大パワーを発揮する。

かいせつ
トレーナーを守るためなら、サイコパワーを使いきり、小さなブラックホールをつくり出す。

おぼえるわざ
マジカルシャイン、テレポート、ゆめくい

しんか

 → →

ラルトス　キルリア　サーナイト

331

メガサーナイト

MEGA SIRNIGHT

サーナイト

サイコパワーで空間をねじ曲げ小さなブラックホールをつくり出す力をもつ。命がけでトレーナーを守るポケモン。

ほうようポケモン

ずかんばんごう	**282**
タイプ	エスパー フェアリー
とくせい	フェアリースキン ……
たかさ	1.6m
おもさ	48.4kg

かいせつ

未来を予知する能力で、トレーナーのきけんを察知したとき、最大パワーのサイコエネルギーを使うといわれている。

おぼえるわざ

ムーンフォース、ミストフィールド、サイコキネシス

サイドン

SIDON

全身を、鎧のような皮膚で守っている。2000度のマグマの中でも、生きられる。

ドリルポケモン	
ずかんばんごう	**112**
タイプ	じめん いわ
とくせい	ひらいしん いしあたま
たかさ	1.9m
おもさ	120.0kg

かいせつ

進化して、後ろ足だけで立つようになった。ツノでつくと、岩石にもあなを開けてしまう。

おぼえるわざ

ドリルライナー、アームハンマー、じしん

しんか

サイホーン → サイドン → ドサイドン

サイホーン　SIHORN

とげとげポケモン

ずかんばんごう	111
タイプ	じめん / いわ
とくせい	ひらいしん / いしあたま
たかさ	1.0m
おもさ	115.0kg

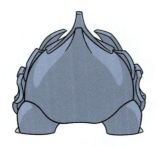

頭は悪いが力が強く、高層ビルも体当たりで粉ごなに粉砕する。

かいせつ

1つのことしか覚えられない。突進を始めると、理由はどうでもよくなり、すぐにわすれる。

おぼえるわざ

とっしん、ストーンエッジ、つのドリル

しんか

サイホーン → サイドン → ドサイドン

サクラビス SAKURABYSS

獲物の体液をすう。肉は海底にしずみ、ほかのポケモンのエサになるのだ。

なんかいポケモン

ずかんばんごう	368
タイプ	みず ……
とくせい	すいすい ……
たかさ	1.8m
おもさ	22.6kg

かいせつ

体の色は、水の温度で変化する。アローラのサクラビスは、まぶしいほどあざやかに色づく。

おぼえるわざ

ドレインキッス、みずあそび、アクアテール

しんか

パールル → サクラビス

サザンドラ　SAZANDORA

きょうぼうポケモン

ずかんばんごう	635
タイプ	あく ドラゴン
とくせい	ふゆう ……
たかさ	1.8m
おもさ	160.0kg

3つの頭で、かわるがわるかみつく。相手がたおれるまで、こうげきの手を休めない。

かいせつ
動くものすべてに食らいつく。サザンドラに村をほろぼされたという言い伝えは多い。

おぼえるわざ
ドラゴンダイブ、はかいこうせん、げきりん

しんか

 → → →

モノズ　ジヘッド　サザンドラ

ザシアン

ZACIAN KEN NO OU

けんのおう

つわものポケモン

ずかんばんごう	**888**
タイプ	フェアリー はがね
とくせい	ふとうのけん ……
たかさ	2.8m
おもさ	355.0kg

かいせつ
あらゆるものを切りすてるさまから、妖精王の剣とよばれ、てき味方におそれあがめられた。

かつての*得物で武装した。キョダイマックスポケモンも、一刀のもとに切りすてる。

おぼえるわざ
きょじゅうざん、ギガインパクト、きりさく

しんか

ザシアン
（けんのおう）

進化しない

*得物：自分がうまく使える武器。

337

ザシアン
れきせんのゆうしゃ

ZACIAN
REKISEN NO YUSHA

つわものポケモン

ずかんばんごう 888

タイプ	フェアリー ……
とくせい	ふとうのけん ……
たかさ	2.8m
おもさ	110.0kg

伝説の英雄とよばれるポケモン。金属を取りこみ、武具に変化させ戦う。

かいせつ

長いねむりについていたザマゼンタの姉とも、ライバルとも、いわれるポケモン。

おぼえるわざ

せいなるつるぎ、アイアンヘッド、とおぼえ

しんか

ザシアン
（れきせんのゆうしゃ）

進化しない

338

サシカマス　SASIKAMASU

とつげきポケモン

ずかんばんごう 846

タイプ	みず ……
とくせい	すいすい ……
たかさ	0.5m
おもさ	1.0kg

かいせつ

するどくとがったあごが自慢。少しでも動くものを見つけると、一直線にとつげきする。

おぼえるわざ

アクアジェット、かみつく、こうそくいどう

はらいっぱいで極端に動きがにぶったところを、ウッウに丸飲みにされる。

しんか

サシカマス → カマスジョー

339

サダイジャ　SADAIJA

すなへびポケモン

ずかんばんごう 844

タイプ	じめん ……
とくせい	すなはき だっぴ
たかさ	3.8m
おもさ	65.5kg

独特のとぐろのまき方は、すなぶくろのすなを、より効率よくふんしゃするためなのだ。

かいせつ

全身をちぢめ、100キロのすなを鼻のあなからふんしゃ。すながないと、弱気になるぞ。

おぼえるわざ

へびにらみ、すなじごく、ロケットずつき

しんか

 スナヘビ → サダイジャ

サダイジャ

キョダイマックスのすがた

KYODAIMAX SADAIJA

からだのまわりを高速で回転するすなは、高層ビルも粉ごなになる破壊力。

サダイジャ

すなへびポケモン

ずかんばんごう 844

タイプ	じめん ……
とくせい	すなはき だっぴ
たかさ	22.0m 〜
おもさ	???.?kg

かいせつ

すなぶくろも超巨大に。体のまわりにうずまくすなは、100万トンをこえる。

おぼえるわざ

キョダイサジン

341

サッチムシ SACCHIMUSHI

ようちゅうポケモン

ずかんばんごう	**824**
タイプ	むし ……
とくせい	むしのしらせ ふくがん
たかさ	0.4m
おもさ	8.0kg

かいせつ
畑でよく見かけるポケモン。体に生えた毛で、まわりで起きていることを感じとる。

おぼえるわざ
むしのていこう

いつもせっせと情報を集めているので、かしこい。ただし、力はいまいちだ。

しんか

サッチムシ → レドームシ → イオルブ

サナギラス　SANAGIRAS

さなぎだが、じっとしていない。がんじょうなカラの下(した)では、すでに手(て)足(あし)ができている。

だんがんポケモン

ずかんばんごう	247
タイプ	いわ じめん
とくせい	だっぴ ……
たかさ	1.2m
おもさ	152.0kg

かいせつ

カラにおおわれているが、自由(じゆう)に飛(と)び回(まわ)れる。かたさと速(はや)さをもつので、破壊力(はかいりょく)ばつぐんだ。

おぼえるわざ

てっぺき、あくのはどう、はかいこうせん

しんか

ヨーギラス

サナギラス

バンギラス

343

サニーゴ　SUNNYGO

さんごポケモン

ずかんばんごう	222
タイプ	みず / いわ
とくせい	はりきり / しぜんかいふく
たかさ	0.6m
おもさ	5.0kg

かいせつ

頭に生えたえだは、折れても、また生えてくる。きれいなものは、安産のお守りにされるよ。

おぼえるわざ

みずでっぽう、たいあたり、パワージェム

温かい海でくらす。太古は、ガラル近海にも数多く生息していた。

しんか

サニーゴ　進化しない

サニーゴ
ガラルのすがた

GALAR SUNNYGO

さんごポケモン

ずかんばんごう	222
タイプ	ゴースト ……
とくせい	くだけるよろい ……
たかさ	0.6m
おもさ	0.5kg

急なかんきょうの変化で死んだ、太古のサニーゴ。えだで、人の生気をすう。

かいせつ

大昔、海だった場所に、よく転がっている。石ころとまちがえてけると、たたられる。

おぼえるわざ

ナイトヘッド、ちからをすいとる、のろい

しんか

サニーゴ（ガラルのすがた） → サニゴーン

345

サニゴーン　SUNIGOON

さんごポケモン

ずかんばんごう	**864**
タイプ	ゴースト……
とくせい	くだけるよろい……
たかさ	1.0m
おもさ	0.4kg

霊力が高まり、カラからとき放たれた。
霊体で、核のたましいを守っている。

かいせつ

たましいをおおう霊体の体には注意。ふれると、石のように動けなくなるぞ。

おぼえるわざ

ちからをすいとる、ほろびのうた、のろい

しんか

サニーゴ（ガラルのすがた） → サニゴーン

サボネア　SABONEA

雨の少ないきびしいかんきょうほど、きれいでかおりの強い花をさかせる。トゲのついたうでをふり回して、戦う。

サボテンポケモン

ずかんばんごう	331
タイプ	くさ ……
とくせい	すながくれ ……
たかさ	0.4m
おもさ	51.3kg

かいせつ

さばくなど、かんそうした地域に生息。強い花のかおりで獲物をさそいこみ、するどい体のトゲを飛ばしてしとめる。

おぼえるわざ

どくばり、せいちょう、やどりぎのタネ

しんか

サボネア → ノクタス

ザマゼンタ
たてのおう
ZAMAZENTA TATE NO OU

つわものポケモン

ずかんばんごう	**889**
タイプ	かくとう／はがね
とくせい	ふくつのたて ……
たかさ	2.9m
おもさ	785.0kg

＊ダイマックスポケモンの一撃も、いともたやすく受け止める、完全武装したすがた。

かいせつ

いかなるこうげきもはじき返すすがたは、格闘王の盾とよばれ、おそれあがめられた。

おぼえるわざ

きょじゅうだん、アイアンヘッド、てっぺき

しんか

ザマゼンタ（たてのおう） 進化しない

348　＊ダイマックス：ガラル地方の一部の場所だけで起きる、ポケモンが大きくなる特別な現象。

ザマゼンタ
れきせんのゆうしゃ

ZAMAZENTA
REKISEN NO YUSHA

つわものポケモン

ずかんばんごう	**889**
タイプ	かくとう ……
とくせい	ふくつのたて ……
たかさ	2.9m
おもさ	210.0kg

人の王と力をあわせ、ガラルを救ったポケモン。金属を取りこみ、戦う。

かいせつ
石像のようなすがたで、わすれ去られるほどのあいだねむりについていたポケモン。

おぼえるわざ
メタルバースト、ムーンフォース、てっぺき

しんか

進化しない

ザマゼンタ（れきせんのゆうしゃ）

349

サマヨール　SAMAYOURU

体の中は空っぽ。口を開けると、ブラックホールのように、なんでもすいこんでしまう。

てまねきポケモン

ずかんばんごう	**356**
タイプ	ゴースト……
とくせい	プレッシャー……
たかさ	1.6m
おもさ	30.6kg

かいせつ

さまよっている人魂を見つけ、空っぽの体内にすいこむ。すいこまれて、どうなるかはなぞ。

おぼえるわざ

シャドーパンチ、みらいよち、かげうち

しんか

ヨマワル

サマヨール

ヨノワール

サメハダー SAMEHADER

獲物のにおいをかぎとると、おしりから海水を噴射して、時速120キロでしゅうげきする。

きょうぼうポケモン

ずかんばんごう	319
タイプ	みず あく
とくせい	さめはだ ……
たかさ	1.8m
おもさ	88.8kg

かいせつ

海のギャングとよばれ、生息海域に入りこんでしまった船は、もれなくおそわれてしまう。

おぼえるわざ

アクアブレイク、こおりのキバ、かみくだく

しんか

キバニア → サメハダー

メガサメハダー

MEGA SAMEHADER

突進した瞬間、頭から するどいトゲが飛び出 し、相手の体を深くキ ズつける。

きょうぼうポケモン

ずかんばんごう	319
タイプ	みず あく
とくせい	がんじょうあご ……
たかさ	2.5m
おもさ	130.3kg

かいせつ

黄色いもようは、過去の古キズ。メガシンカのエネルギーがめぐって、ズキズキいたんで苦しいらしい。

おぼえるわざ

アクアジェット、ロケットずつき、どくどくのキバ

352

ザルード ZARUDE

わるざるポケモン
ずかんばんごう	893
タイプ	あく くさ
とくせい	リーフガード ……
たかさ	1.8m
おもさ	70.0kg

体に生えるツルは、ちぎれると土の栄養分となって、森の植物たちを育てるのだ。

かいせつ
むれをつくり、密林でくらす。とてもこうげき的で、森にすむポケモンたちからおそれられている。

おぼえるわざ
ジャングルヒール、パワーウィップ、いばる

しんか

ザルード　→　進化しない

サルノリ　SARUNORI

こざるポケモン
ずかんばんごう **810**

タイプ	くさ ……
とくせい	しんりょく ……
たかさ	0.3m
おもさ	5.0kg

特別（とくべつ）なスティックでリズムをきざむと、草花（くさばな）を元気（げんき）にするパワーが、音波（おんぱ）になって広（ひろ）がる。

かいせつ
スティックの連打（れんだ）でこうげき。すごいスピードでたたくうちに、どんどんテンションが上（あ）がるのだ。

おぼえるわざ
たたきつける、はっぱカッター、えだづき

しんか　サルノリ → バチンキー → ゴリランダー

354

サワムラー　SAWAMULAR

キックポケモン
ずかんばんごう 106

タイプ	かくとう ……
とくせい	じゅうなん すてみ
たかさ	1.5m
おもさ	49.8kg

かいせつ
足が自由にのびちぢみして、遠くはなれている場合でも、相手をけり上げることができる。

見事なバランス感覚。どんなしせいでも、連続でキックを放てるすごいやつ。

おぼえるわざ
ローキック、メガトンキック、とびひざげり

しんか
 →
バルキー　サワムラー

355

ザングース　ZANGOOSE

ふだんは4本足で行動するが、おこると後ろ足で立ち、前足のツメが飛び出す。

ネコイタチポケモン

ずかんばんごう	**335**
タイプ	ノーマル ……
とくせい	めんえき ……
たかさ	1.3m
おもさ	40.3kg

かいせつ

宿敵ハブネークとの戦いの記憶が、体中の細胞にきざみこまれている。びんしょうな身のこなしで、こうげきをかわす。

おぼえるわざ

つるぎのまい、ブレイククロー、おいうち

しんか

ザングース　進化しない

＊ハブネーク：「下」にのっているポケモンだよ。

サンダー　THUNDER

でんげきポケモン

ずかんばんごう	**145**
タイプ	でんき ひこう
とくせい	プレッシャー ……
たかさ	1.6m
おもさ	52.6kg

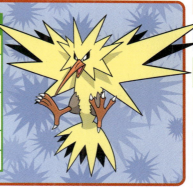

電気を自在にあやつる。真っ黒な雷雲の中に、巣があると言い伝えられている。

かいせつ

羽をこすり合わせると、たちまちかみなりが落ちるといわれている、伝説の鳥ポケモン。

おぼえるわざ

かみなり、ドリルくちばし、でんじほう

しんか

サンダー

進化しない

357

サンダー

ガラルのすがた

GALAR THUNDER

けんきゃくポケモン

ずかんばんごう	**145**
タイプ	かくとう ひこう
とくせい	まけんき ……
たかさ	1.6m
おもさ	58.2kg

羽毛がこすれるとき、バチバチと電気のような音がすることから、サンダーとよばれてきた。

かいせつ

ひとけりでダンプカーを粉ごなにする脚力をもつ。時速300キロで山をかけるという。

おぼえるわざ

らいめいげり、インファイト、いわくだき

しんか

サンダー
（ガラルのすがた）

進化しない

サンダース THUNDERS

かみなりポケモン

ずかんばんごう **135**

タイプ	でんき……
とくせい	ちくでん……
たかさ	0.8m
おもさ	24.5kg

おこったりおどろいたりすると、全身の毛がハリのようにさか立って、相手をつらぬく。

かいせつ
空気中のマイナスイオンをすいこんで、約10000ボルトの電気をはき出すことがある。

おぼえるわざ
でんきショック、かみなりのキバ、にどげり

しんか

イーブイ → サンダース

359

サンド

SAND

ねずみポケモン	
ずかんばんごう	**027**
タイプ	じめん ……
とくせい	すながくれ ……
たかさ	0.6m
おもさ	12.0kg

かんそうした砂地で、砂浴びをするのが好き。体についたよごれと水気を落とすのだ。

かいせつ

地面をほって、巣穴をつくる。地中のかたい岩も、するどいツメでくだいてほり進むぞ。

おぼえるわざ

あなをほる、まるくなる、スピードスター

しんか

サンド → サンドパン

360

サンド
アローラのすがた

ALOLA SAND

ねずみポケモン

ずかんばんごう	027
タイプ	こおり はがね
とくせい	ゆきがくれ ……
たかさ	0.7m
おもさ	40.0kg

南の島の雪山にすむ。吹雪になると雪の中でふせて、飛ばされないように、じっとたえる。

かいせつ
雪にとざされた山岳地帯でくらすうちに、はがねのようにかたい氷の体を手に入れた。

おぼえるわざ
あられ、メタルクロー、みだれひっかき

しんか

サンド
(アローラのすがた) → サンドパン
(アローラのすがた)

361

サンドパン SANDPAN

ねずみポケモン	
ずかんばんごう	**028**
タイプ	じめん ……
とくせい	すながくれ ……
たかさ	1.0m
おもさ	29.5kg

湿度が低い土地でくらすサンドパンほど、背中のトゲの手ざわりは、かたくなめらかになる。

かいせつ

するどいツメをひっかけて、木を登る。下で待つサンドたちに木の実を落とし、分けあたえるのだ。

おぼえるわざ

みだれひっかき、すなじごく、れんぞくぎり

しんか

サンド → サンドパン

サンドパン
アローラのすがた

ALOLA SANDPAN

氷のトゲが朝日を浴びてかがやくすがたを見たいと思い、雪山に登る人は多い。

ねずみポケモン

ずかんばんごう	028
タイプ	こおり はがね
とくせい	ゆきがくれ ……
たかさ	1.2m
おもさ	55.0kg

かいせつ

大きなカギヅメで、深い雪をかき分け、走る。雪山では、どのポケモンよりも速いのだ。

おぼえるわざ

ふぶき、つららおとし、メタルバースト

しんか

サンド
(アローラのすがた) → サンドパン
(アローラのすがた)

シードラ   SEADRA

細い口だが、吸引力は強い。口より大きなエサも、一瞬ですいこみ、食べるぞ。

ドラゴンポケモン

ずかんばんごう	**117**
タイプ	みず ……
とくせい	どくのトゲ スナイパー
たかさ	1.2m
おもさ	25.0kg

かいせつ

オスが、子供を育てる。子育て中は、背中のトゲの毒素が強くこくなるのだ。

おぼえるわざ

りゅうのはどう、ハイドロポンプ、たつまき

しんか

 タッツー → シードラ → キングドラ

ジーランス　GLANTH

岩のようにかたいウロコと、あぶらのつまったうきぶくろで、深海の水圧にたえる。

ちょうじゅポケモン

ずかんばんごう 369

タイプ	みず いわ
とくせい	すいすい いしあたま
たかさ	1.0m
おもさ	23.4kg

かいせつ
深海調査で発見された。1億年間すがたが変わらず、生きている化石とよばれている。

おぼえるわざ
げんしのちから、すてみタックル、とっしん

しんか

ジーランス　進化しない

シェイミ
スカイフォルム

SHAYMIN SKY FORME

かんしゃポケモン

ずかんばんごう	**492**
タイプ	くさ ひこう
とくせい	てんのめぐみ ……
たかさ	0.4m
おもさ	5.2kg

大気の毒素を分解して、あれた大地を一瞬のうちに花畑にする力をもつ。

かいせつ

グラシデアの花がさく季節、感謝の心をとどけるために、飛び立つといわれている。

おぼえるわざ

エアスラッシュ、シードフレア、せいちょう

しんか

シェイミ（スカイフォルム）

進化しない

366

シェイミ
ランドフォルム

SHAYMIN LAND FORME

かんしゃポケモン

ずかんばんごう	**492**
タイプ	くさ ……
とくせい	しぜんかいふく ……
たかさ	0.2m
おもさ	2.1kg

かいせつ
人にやさしくだきしめられ、ありがとうの気持ちを感じると、全身の花が開きだす。

おぼえるわざ
シードフレア、しぜんのめぐみ、せいちょう

大気の毒素を分解して、あれた大地を一瞬のうちに花畑にする力をもつ。

しんか

シェイミ
（ランドフォルム）

進化しない

367

シェルダー　SHELLDER

2まいがいポケモン	
ずかんばんごう	**090**
タイプ	みず ……
とくせい	シェルアーマー スキルリンク
たかさ	0.3m
おもさ	4.0kg

かいせつ
2まいのカラを開けたりとじたりすることで、後ろ向きに泳ぐ。そのスピードは、けっこう速い。

おぼえるわざ
みずでっぽう、てっぺき、からにこもる

かたいカラは、どんなこうげきもはねかえす。開いたときに中をこうげきされると、弱い。

しんか シェルダー → パルシェン

ジガルデ
10%フォルム

ZYGARDE 10% FORME

ちつじょポケモン

ずかんばんごう	718
タイプ	ドラゴン / じめん
とくせい	オーラブレイク / スワームチェンジ
たかさ	1.2m
おもさ	33.5kg

「コア」が脳となり、「セル」を集めることで、ジガルデのフォルムをつくるぞ。

するどいキバで、てきをしとめる。ずっとこの体を維持できず、一定時間でバラバラになる。

かいせつ

セルとよばれるジガルデの一部が、10%ほど集まったすがた。時速100キロで地をかける。

おぼえるわざ

サウザンアロー、サウザンウェーブ、じしん

しんか

進化しない

ジガルデ（10%フォルム）

ジガルデ

50%フォルム

ZYGARDE 50% FORME

ちつじょポケモン

ずかんばんごう	718
タイプ	ドラゴン じめん
とくせい	オーラブレイク スワームチェンジ
たかさ	5.0m
おもさ	305.0kg

生態系をおびやかすものと戦うとき、さらに強力なすがたに変化するといわれる。

かいせつ

セルが、50%集まったすがた。敵対するものは、いっさいの手加減なく消滅させる。

おぼえるわざ

グランドフォース、りゅうのはどう、じしん

しんか

ジガルデ (50%フォルム)

進化しない

ジガルデ
パーフェクトフォルム

ZYGARDE PERFECT FORME

ちつじょポケモン

ずかんばんごう	718
タイプ	ドラゴン じめん
とくせい	スワームチェンジ ……
たかさ	4.5m
おもさ	610.0kg

すべてのジガルデ・セルが集まり、誕生する。生態系をみだすものを武力でしずめる。

かいせつ
完璧なるジガルデのすがた。むねの口からすべてを消し去る高エネルギーを放射する。

おぼえるわざ
コアパニッシャー、サウザンアロー、じしん

しんか

ジガルデ
(パーフェクトフォルム)

進化しない

シキジカ　SHIKIJIKA

はるのすがた

きせつポケモン

ずかんばんごう	585
タイプ	ノーマル くさ
とくせい	ようりょくそ そうしょく
たかさ	0.6m
おもさ	19.5kg

なつのすがた　ふゆのすがた　あきのすがた

季節の変わり目になると、体毛とにおいが変化する。季節を告げるポケモン。

かいせつ

季節が変わったときだけでなく、気温や湿度によっても、体の色は少し変化する。

おぼえるわざ

たいあたり、エナジーボール、にどげり

しんか

シキジカ → メブキジカ

ジグザグマ　JIGUZAGUMA

まめだぬきポケモン

ずかんばんごう ▶ **263**

タイプ	ノーマル ……
とくせい	ものひろい くいしんぼう
たかさ	0.4m
おもさ	17.5kg

かたい体毛を木にこすりつけ、なわばりの印をつける。ガラルのジグザグマより温厚。

かいせつ
ガラルのジグザグマが、ほかの地域に適応したすがた。さがし物を見つけるのが得意。

おぼえるわざ
たいあたり、すてみタックル、しっぽをふる

しんか

ジグザグマ → マッスグマ

アカシスタナハマヤラワ

373

ジグザグマ

ガラルのすがた

GALAR JIGUZAGUMA

まめだぬきポケモン

ずかんばんごう	**263**
タイプ	あく ノーマル
とくせい	ものひろい くいしんぼう
たかさ	0.4m
おもさ	17.5kg

このすがたが、一番古いジグザグマのすがたらしい。ジグザグ動いて、あたりをあらす。

かいせつ

落ちつきなく走り回っている。ほかのポケモンを見つけると、わざとぶつかって、ケンカを売る。

おぼえるわざ

バークアウト、とっしん、ミサイルばり

しんか

  ➡ ➡

ジグザグマ
（ガラルのすがた） マッスグマ
（ガラルのすがた） タチフサグマ

シザリガー   SHIZARIGER

戦いを好む性格。すみかに近づく相手を、ようしゃなくたたきのめす。

ならずものポケモン

ずかんばんごう	**342**
タイプ	みず あく
とくせい	かいりきバサミ シェルアーマー
たかさ	1.1m
おもさ	32.8kg

かいせつ
巨大なハサミをふりまわすあばれ者。育てるのがとてもむずかしいポケモンと、いわれる。

おぼえるわざ
クラブハンマー、ハサミギロチン、つじぎり

しんか

ヘイガニ → シザリガー

375

ジジーロン

JIJILONG

人なつっこく心やさしいが、ひとたびおこると強風をまき起こし、すべてをなぎたおす。

ゆうゆうポケモン

ずかんばんごう	**780**
タイプ	ノーマル ドラゴン
とくせい	ぎゃくじょう そうしょく
たかさ	3.0m
おもさ	185.0kg

かいせつ

標高3000メートルをこえる山でくらす。まれに、街へやって来て、子供たちと遊ぶ。

おぼえるわざ

りゅうのはどう、そらをとぶ、じんつうりき

しんか

ジジーロン　進化しない

シシコ SHISHIKO

血気さかんで、好奇心おうせい。おこったり、戦いが始まると、短いたてがみは熱くなる。

わかじしポケモン	
ずかんばんごう	667
タイプ	ほのお ノーマル
とくせい	とうそうしん きんちょうかん
たかさ	0.6m
おもさ	13.5kg

かいせつ

おさないころは、仲間とむれている。自分で獲物を狩るようになると、むれから追い出され、ひとり立ちする。

おぼえるわざ

たいあたり、ほのおのキバ、かみくだく

しんか

シシコ → カエンジシ

377

シズクモ　SHIZUKUMO

おしりで水泡をふくらませて、頭を包む。仲間同士で水泡の大きさをくらべる。

すいほうポケモン

ずかんばんごう	751
タイプ	みず むし
とくせい	すいほう ……
たかさ	0.3m
おもさ	4.0kg

かいせつ

ふだんは水の中で生活しているが、エサをさがしに陸に上がるときは、水泡をかぶる。

おぼえるわざ

バブルこうせん、まとわりつく、むしくい

しんか

シズクモ → オニシズクモ

ジバコイル　JIBACOIL

特殊な磁場のえいきょうで、体の分子こうぞうが変化し、進化したと考えられている。

じばポケモン

ずかんばんごう	462
タイプ	でんき　はがね
とくせい	じりょく　がんじょう
たかさ	1.2m
おもさ	180.0kg

かいせつ
頭のアンテナで、宇宙からの電波を受信して、何者かにコントロールされているといわれる。

おぼえるわざ
ラスターカノン、トライアタック、ほうでん

しんか

コイル　→　レアコイル　→　ジバコイル

379

シビシラス　SHIBISHIRASU

弱い電気しか出せないので、たくさんのシビシラスで集まり、強力な電気を放つ。

でんきうおポケモン

ずかんばんごう	**602**
タイプ	でんき ……
とくせい	ふゆう ……
たかさ	0.2m
おもさ	0.3kg

かいせつ

1ぴきの電力は小さいが、たくさんのシビシラスがつながると、かみなりと同じ威力になる。

おぼえるわざ

でんじは、スパーク、チャージビーム

しんか

シビシラス　シビビール　シビルドン

380

シビビール　SHIBIBEEL

食欲おうせいなポケモン。獲物を見つけるとおそいかかり、電気でしびれさせてから食べる。

でんきうおポケモン	
ずかんばんごう	**603**
タイプ	でんき ……
とくせい	ふゆう ……
たかさ	1.2m
おもさ	22.0kg

かいせつ

相手にまきつき、丸いはん点から電気を流して、しびれたところを丸かじりする。

おぼえるわざ

ワイルドボルト、ようかいえき、かみくだく

しんか

シビシラス → シビビール → シビルドン

381

シビルドン　SHIBIRUDON

うでの力（ちから）で海（うみ）からはい出（だ）し、水辺（みずべ）の獲物（えもの）におそいかかる。一瞬（いっしゅん）で海（うみ）へ引（ひ）きずりこむ。

でんきうおポケモン

ずかんばんごう	**604**
タイプ	でんき ……
とくせい	ふゆう …
たかさ	2.1m
おもさ	80.5kg

かいせつ

きゅうばんの口（くち）で獲物（えもの）にすいつき、食（く）いこませたキバから電気（でんき）を流（なが）して、感電（かんでん）させる。

おぼえるわざ

プラズマシャワー、でんじほう、あばれる

しんか

シビシラス　シビビール　シビルドン

382

ジヘッド　DIHEAD

なわばりを歩き回って、エサをさがす。2つの頭は、どちらに進むか、よくもめる。

らんぼうポケモン

ずかんばんごう	**634**
タイプ	あく ドラゴン
とくせい	はりきり ……
たかさ	1.4m
おもさ	50.0kg

かいせつ

1つのエサを、2つの頭でうばい合う。だれとも戦っていないのに、いつもキズだらけ。

おぼえるわざ

ダブルアタック、のしかかり、かみくだく

しんか

 →  →

モノズ　ジヘッド　サザンドラ

シママ SHIMAMA

雷雲で空がおおわれると、あらわれる。たてがみでかみなりをキャッチして、電気をためる。

たいでんポケモン

ずかんばんごう	522
タイプ	でんき ……
とくせい	ひらいしん でんきエンジン
たかさ	0.8m
おもさ	29.8kg

かいせつ

放電すると、たてがみが光る。たてがみがかがやく回数やリズムで、仲間と会話している。

おぼえるわざ

でんこうせっか、ほうでん、ワイルドボルト

しんか

シママ → ゼブライカ

ジメレオン / JIMEREON

みずとかげポケモン

ずかんばんごう	817
タイプ	みず ……
とくせい	げきりゅう ……
たかさ	0.7m
おもさ	11.5kg

手のひらから出る水分を丸めてつくった水の玉を使い、頭脳戦をくり広げる。

かいせつ

頭がよく、面倒くさがり。なわばりにてきが近づかないよう、そこかしこに、わなをしかけている。

おぼえるわざ

みずのはどう、とんぼがえり、みずびたし

しんか

 → →

メッソン　　ジメレオン　　インテレオン

ジャノビー JANOVY

くさへびポケモン

ずかんばんごう	**496**
タイプ	くさ ……
とくせい	しんりょく ……
たかさ	0.8m
おもさ	16.0kg

体がよごれると、葉っぱで光合成ができなくなるので、いつも清潔にしている。

かいせつ

地面をすべるように走る。すばやい動きでてきをまどわせ、つるのムチで、しとめるのだ。

おぼえるわざ

グラスミキサー、とぐろをまく、つるのムチ

しんか

ツタージャ → ジャノビー → ジャローダ

ジャラコ　JYARAKO

頭のウロコを仲間同士でぶつけ合い、戦い方を学ぶ。わざと気持ちが、きたえられる。

うろこポケモン

ずかんばんごう	782
タイプ	ドラゴン ……
とくせい	ぼうだん ぼうおん
たかさ	0.6m
おもさ	29.7kg

かいせつ
体毛が金属のようにかたくなったウロコを打ち鳴らして、仲間とコミュニケーションする。

おぼえるわざ
たいあたり、にらみつける、ドラゴンテール

しんか

ジャラコ → ジャランゴ → ジャラランガ

387

ジャラランガ JYARARANGA

ジャラランガのウロコでつくった鎧を身にまとった古代の戦士が、いせきにえがかれている。

うろこポケモン

ずかんばんごう	784
タイプ	ドラゴン かくとう
とくせい	ぼうだん ぼうおん
たかさ	1.6m
おもさ	78.2kg

かいせつ

てきに出会うと、しっぽのウロコを打ち鳴らし、いかく。おじけづかない強者だけを相手に戦う。

おぼえるわざ

スケイルノイズ、ソウルビート、ばくおんぱ

しんか

 → →

ジャラコ　ジャランゴ　ジャラランガ

388

ジャランゴ　JYARANGO

ウロコがはがれたキズだらけの体は、強者のあかし。たおした相手に見せつける。

うろこポケモン

ずかんばんごう	783
タイプ	ドラゴン かくとう
とくせい	ぼうだん ぼうおん
たかさ	1.2m
おもさ	47.0kg

かいせつ

ウロコを打ち鳴らし、おたけびをあげてから相手にいどみかかり、するどいツメでずたずたにする。

おぼえるわざ

ドラゴンクロー、りゅうのまい、てっぺき

しんか

ジャラコ
→

ジャランゴ
→

ジャラランガ

ジャローダ   JALORDA

ロイヤルポケモン

ずかんばんごう	**497**
タイプ	くさ ……
とくせい	しんりょく ……
たかさ	3.3m
おもさ	63.0kg

にらむだけで、相手の動きを止めてしまう。太陽エネルギーを、体内でぞうふくさせる。

かいせつ

ジャローダの気高いひとみで、いすくめられても平気な強い相手にだけ、本気を出す。

おぼえるわざ

リーフストーム、グラスミキサー、まきつく

しんか

 → →
ツタージャ　ジャノビー　ジャローダ

シャワーズ　SHOWERS

あわはきポケモン

ずかんばんごう	**134**
タイプ	みず ……
とくせい	ちょすい ……
たかさ	1.0m
おもさ	29.0kg

アカカシタナハマヤラワ

体の細胞のつくりが、水の分子とにている。水にとけると、見えなくなる。

かいせつ
シャワーズの全身のヒレが小きざみにふるえ始めるのは、数時間後に雨がふるしるし。

おぼえるわざ
みずでっぽう、ハイドロポンプ、くろいきり

しんか

イーブイ

シャワーズ

391

シャンデラ　CHANDELA

古びた洋館にすみつく。うでのほのおをあやしくゆらし、相手を催眠にかけるぞ。

いざないポケモン

ずかんばんごう	**609**
タイプ	ゴースト ほのお
とくせい	もらいび ほのおのからだ
たかさ	1.0m
おもさ	34.3kg

かいせつ

シャンデラを灯りのかわりにしていた屋敷では、葬式がたえることが、なかったという。

おぼえるわざ

オーバーヒート、れんごく、シャドーボール

しんか

 ヒトモシ → ランプラー → シャンデラ

＊催眠：ねむくなること。

ジュカイン JUKAIN

みつりんポケモン

ずかんばんごう	254
タイプ	くさ ……
とくせい	しんりょく ……
たかさ	1.7m
おもさ	52.2kg

背中のタネには、樹木を元気にする栄養が、たくさんつまっているといわれる。森の木を大事に育てているポケモン。

かいせつ

体に生えた葉っぱは、するどい切れ味。すばやい身のこなしで、木のえだを飛び回り、てきの頭上や背後からおそいかかるぞ。

おぼえるわざ

リーフブレード、ダブルチョップ、みきり

しんか

 → →
キモリ　ジュプトル　ジュカイン

アカシタナハマヤラワ

393

メガジュカイン

MEGA JUKAIN

ジャングルを身軽に走り回り、うでに生えた切れ味するどい葉っぱで、獲物をしとめるのだ。

ジュカイン

みつりんポケモン

ずかんばんごう	254
タイプ	くさ ドラゴン
とくせい	ひらいしん ……
たかさ	1.9m
おもさ	55.2kg

かいせつ

うでに生えた葉っぱは、大木もスッパリ切りたおす切れ味。密林の戦いでは無敵。

おぼえるわざ

リーフストーム、リーフブレード、シザークロス

ジュゴン

JUGON

全身雪のように真っ白。
寒さに強く、氷がうかぶ
海も元気よく泳ぎ回る。

あしかポケモン

ずかんばんごう	**087**
タイプ	みず こおり
とくせい	あついしぼう うるおいボディ
たかさ	1.7m
おもさ	120.0kg

かいせつ

食事のあとは、すなはまで日光浴をしている。体温を上げて、消化をよくするのだ。

おぼえるわざ

ぜったいれいど、れいとうビーム、しおみず

しんか

パウワウ → ジュゴン

シュシュプ　SHUSHUPU

人を魅了するかぐわしいにおいを体からただよわせる。高貴な婦人たちに愛された。

こうすいポケモン

ずかんばんごう	**682**
タイプ	フェアリー……
とくせい	いやしのこころ……
たかさ	0.2m
おもさ	0.5kg

かいせつ

体内のにおいぶくろで、においをつくるポケモン。エサが変わると、つくられるにおいも変わる。

おぼえるわざ

あまいかおり、てんしのキス、メロメロ

しんか

シュシュプ → フレフワン

＊魅了：心を引きつけて、夢中にさせること。

ジュナイパー JUNAIPER

やばねポケモン

ずかんばんごう 724

タイプ	くさ ゴースト
とくせい	しんりょく ……
たかさ	1.6m
おもさ	36.6kg

0.1秒で矢羽根をつばさのつるにつがえて放つ。相手が気づく前に、急所をいぬく。

かいせつ

つばさにしこまれた矢羽根を、弓矢のようにつがえて放つ。ねらった的は外さない。

おぼえるわざ

かげぬい、ブレイブバード、リーフストーム

しんか

モクロー → フクスロー → ジュナイパー

397

シュバルゴ　CHEVARGO

やりをかまえ、てきへとつげき。＊ネギガナイトとの決闘をえがいた絵画が有名。

きへいポケモン

ずかんばんごう	**589**
タイプ	むし はがね
とくせい	むしのしらせ シェルアーマー
たかさ	1.0m
おもさ	33.0kg

かいせつ

チョボマキのカラをうばって、完全武装。ガラル地方では、ひじょうに人気が高い。

おぼえるわざ

シザークロス、メタルバースト、てっぺき

しんか

 →

カブルモ　シュバルゴ

398　＊ネギガナイト：「下」にのっているポケモンだよ。

ジュプトル   JUPTILE

もりトカゲポケモン	
ずかんばんごう	**253**
タイプ	くさ ……
とくせい	しんりょく ……
たかさ	0.9m
おもさ	21.6kg

体から生えた葉っぱは、森の中でてきからすがたをかくすときに便利。密林にくらす木登りの名手。

かいせつ

えだからえだへ身軽に飛び回る。どんなにすばやいポケモンも、森の中でジュプトルをつかまえることは、不可能だ。

おぼえるわざ

れんぞくぎり、ギガドレイン、みねうち

しんか

キモリ → ジュプトル → ジュカイン

399

ジュペッタ　JUPPETA

ぬいぐるみポケモン

ずかんばんごう	354
タイプ	ゴースト ……
とくせい	ふみん おみとおし
たかさ	1.1m
おもさ	12.5kg

かいせつ

すてられたぬいぐるみに怨念が宿った。自分をすてたものをさがし、復しゅうするつもりだ。

すてられた怨念で生まれる。大切にされると満足して、元のぬいぐるみにもどるという。

おぼえるわざ

ナイトヘッド、ゴーストダイブ、トリック

しんか

カゲボウズ　→　ジュペッタ

400

メガジュペッタ

MEGA JUPPETA

メガシンカで怨念がぞうふく。チャックの中にしまわれていたのろいのパワーがあふれ出す。

ジュペッタ

アカシタナハマヤラワ

ぬいぐるみポケモン

ずかんばんごう	354
タイプ	ゴースト ……
とくせい	いたずらごころ ……
たかさ	1.2m
おもさ	13.0kg

かいせつ

けたちがいのエネルギーがのろいをぞうふくし、おさえきれない。自分のトレーナーさえ、うらんでしまうのだ。

おぼえるわざ

ゴーストダイブ、シャドーボール、ナイトヘッド

ジュラルドン DURALUDON

ごうきんポケモン	
ずかんばんごう	884
タイプ	はがね ドラゴン
とくせい	ライトメタル ヘヴィメタル
たかさ	1.8m
おもさ	40.0kg

特殊な金属の体は軽く、身のこなしはばつぐん。雨が苦手で、どうくつにすむ。

かいせつ

みがきあげた金属のような体は、軽いうえにかたいが、さびやすいのが欠点なのだ。

おぼえるわざ

メタルバースト、ドラゴンクロー、てっぺき

しんか

ジュラルドン　進化しない

402

ジュラルドン

キョダイマックスのすがた

KYODAIMAX DURALUDON

*摩天楼のごとく巨大化。あふれるエネルギーで、体の一部が発光している。

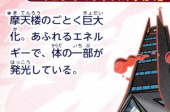

ジュラルドン

ごうきんポケモン

ずかんばんごう	884
タイプ	はがね ドラゴン
とくせい	ライトメタル ヘヴィメタル
たかさ	43.0m〜
おもさ	???.?kg

かいせつ

細胞の硬度は、はがねタイプのポケモンのなかでもトップクラス。地震にも強いこうぞうなのだ。

おぼえるわざ

キョダイゲンスイ

*摩天楼：天にとどきそうなくらい高い建物。

403

ジラーチ　JIRACHI

ねがいごとポケモン

ずかんばんごう	385
タイプ	はがね エスパー
とくせい	てんのめぐみ ……
たかさ	0.3m
おもさ	1.1kg

1000年に一度、清らかな歌声を聞くことで、7日のあいだだけ目を覚ます。

かいせつ

1000年のねむりから目覚めたとき、頭の短冊に書かれた願い事をかなえるという。

おぼえるわざ

はめつのねがい、いやしのねがい、ねんりき

しんか

ジラーチ　進化しない

シルヴァディ　SILVADY

じんこうポケモン

ずかんばんごう	**773**
タイプ	ノーマル ……
とくせい	ＡＲシステム
たかさ	2.3m
おもさ	100.5kg

本来の力をとき放つ最後のファクター*は、信頼するトレーナーとのきずなだった。

かいせつ

パートナーとの強いきずなにより、ひめた能力が覚醒した。自在にタイプを変えられる。

おぼえるわざ

マルチアタック、トライアタック、ふういん

しんか

 →

タイプ：ヌル　　シルヴァディ

＊ファクター：ある結果をもたらすための要素。

405

ARシステム

シルヴァディは とくせい「ARシステム」のこうかで、もたせたメモリによってタイプと体の色が変わるぞ！

あくタイプ
ダークメモリ

いわタイプ
ロックメモリ

エスパータイプ
サイキックメモリ

かくとうタイプ
ファイトメモリ

くさタイプ
グラスメモリ

ゴーストタイプ
ゴーストメモリ

こおりタイプ
アイスメモリ

じめんタイプ
グラウンドメモリ

でんきタイプ
エレクトロメモリ

どくタイプ
ポイズンメモリ

ドラゴンタイプ
ドラゴンメモリ

はがねタイプ
スチールメモリ

ひこうタイプ
フライングメモリ

フェアリータイプ
フェアリーメモリ

ほのおタイプ
ファイヤーメモリ

みずタイプ
ウォーターメモリ

むしタイプ
バグメモリ

シロデスナ　SIRODETHNA

ビーチの悪夢ともよばれる。すなをあやつって獲物をしずめ、たましいをすいとる。

すなのしろポケモン

ずかんばんごう	770
タイプ	ゴースト じめん
とくせい	みずがため ……
たかさ	1.3m
おもさ	250.0kg

かいせつ

ビーチにすむが、水がきらい。はげしい雨に打たれるとお城の形をたもてない。

おぼえるわざ

だいちのちから、すなじごく、すなあつめ

しんか

スナバァ
→

シロデスナ

シンボラー　SYMBOLER

シンボラーが飛ぶさばくの下を調査すると、古代の都市と思われる名残が見つかった。

とりもどきポケモン

ずかんばんごう	561
タイプ	エスパー ひこう
とくせい	ミラクルスキン マジックガード
たかさ	1.4m
おもさ	14.0kg

かいせつ

サイコパワーで空を飛ぶ。古代都市の守り神とも、そのつかいともいわれている。

おぼえるわざ

エアカッター、サイコキネシス、おいかぜ

しんか

シンボラー　進化しない

409

スイクン SUICUNE

オーロラポケモン	
ずかんばんごう	**245**
タイプ	みず ……
とくせい	プレッシャー ……
たかさ	2.0m
おもさ	187.0kg

一瞬で、きたなくにごった水も清める力をもつ。北風の生まれ変わりという。

かいせつ

わき水のやさしさを宿したポケモン。すべるような身のこなしで大地を走り、にごった水を清める力をもつ。

おぼえるわざ

ぜったいれいど、こおりのキバ、なみのり

しんか

スイクン　進化しない

ズガイドス　ZUGAIDOS

太古のポケモン。かたくてじょうぶな頭蓋骨をもつが、頭は相当に悪かった。

ずつきポケモン

ずかんばんごう	**408**
タイプ	いわ ……
とくせい	かたやぶり ……
たかさ	0.9m
おもさ	31.5kg

かいせつ
かたい頭蓋骨が特徴。頭つきで樹木をへし折って、実った木の実を食べていた。

おぼえるわざ
もろはのずつき、しねんのずつき、とっしん

しんか

ズガイドス　ラムパルド

411

スカタンク SKUTANK

しっぽの先から飛ばすしるのにおいは強烈。地面にあなをほって、巣あなをつくる。

スカンクポケモン

ずかんばんごう	**435**
タイプ	どく あく
とくせい	あくしゅう ゆうばく
たかさ	1.0m
おもさ	38.0kg

かいせつ

おなかにためこんだくさいしるを、しっぽから飛ばして戦う。においは食べ物で変わるのだ。

おぼえるわざ

かえんほうしゃ、ベノムトラップ、どくどく

しんか

 →

スカンプー　スカタンク

ズガドーン ZUGADOON

クネクネ動いて人に近づくと、とつぜん頭を爆発させた。ウルトラビーストの一種らしい。

はなびポケモン

ずかんばんごう	806
タイプ	ほのお ゴースト
とくせい	ビーストブースト ……
たかさ	1.8m
おもさ	13.0kg

かいせつ

ウルトラホールからあらわれたウルトラビースト。爆発で相手をおどろかし、そのすきに生気をうばっていた。

おぼえるわざ

ビックリヘッド、ナイトヘッド、だいもんじ

しんか

ズガドーン　進化しない

スカンプー SKUNPUU

しっぽを上げて、おしりを向けたら要注意。気絶するほどくさいしるを飛ばす前ぶれ。

スカンクポケモン

ずかんばんごう	**434**
タイプ	どく / あく
とくせい	あくしゅう / ゆうばく
たかさ	0.4m
おもさ	19.2kg

かいせつ
おしりから相手の顔を目がけて、ものすごくくさいしるを飛ばす。しるは、5メートル先までとどく。

おぼえるわざ
どくガス、ベノムショック、だいばくはつ

しんか

スカンプー → スカタンク

414

スコルピ　SCORUPI

すなに体をうめ、じっと
獲物を待ち続けている。
＊ヤクデと祖先が近い。

さそりポケモン

ずかんばんごう	451
タイプ	どく むし
とくせい	カブトアーマー スナイパー
たかさ	0.8m
おもさ	12.0kg

かいせつ

毒のあるしっぽのツメでお そいかかる。はさまれると、 毒がしみて動けなくなる。

おぼえるわざ

どくばり、ベノムショック、 はたきおとす

しんか

スコルピ　ドラピオン

＊ヤクデ：「下」にのっているポケモンだよ。

415

スターミー STARMIE

強烈なサイコパワーを放つとき、コアとよばれる器官が、七色にきらめく。

なぞのポケモン

ずかんばんごう	121
タイプ	みず エスパー
とくせい	はっこう しぜんかいふく
たかさ	1.1m
おもさ	80.0kg

かいせつ

体を高速で回転させ、海を泳ぎながら、小さなプランクトンを吸収する。

おぼえるわざ

サイコキネシス、しおみず、じこさいせい

しんか

ヒトデマン

スターミー

416

ストライク　　　STRIKE

かまきりポケモン

ずかんばんごう	123
タイプ	むし / ひこう
とくせい	むしのしらせ / テクニシャン
たかさ	1.5m
おもさ	56.0kg

かいせつ
森の中で、たくさんの木が切りたおされた場所を見つけたら、そこはストライクのなわばりだ。

おぼえるわざ
きりさく、つるぎのまい、シザークロス

戦いを重ねるごとに、かまの切れ味は上がる。大木も一刀両断に切りさくぞ。

しんか

ストライク → ハッサム

417

ストリンダー STRINDER
ハイなすがた

パンクポケモン
ずかんばんごう	**849**
タイプ	でんき どく
とくせい	パンクロック プラス
たかさ	1.6m
おもさ	40.0kg

ケンカごしで気が短い。よどんだ水をがぶ飲みして、水中の毒素を取りこむ。

かいせつ
むねの突起をかきむしり電気を起こすとき、あたりにギターのような音がひびく。

おぼえるわざ
スパーク、オーバードライブ、でんげきは

しんか

エレズン

ストリンダー
（ハイなすがた）

418

ストリンダー　STRINDER

ローなすがた

パンクポケモン

ずかんばんごう	849
タイプ	でんき どく
とくせい	パンクロック マイナス
たかさ	1.6m
おもさ	40.0kg

かいせつ

15000ボルトもの電気を発生させることができる。どんな相手もなめている。

おぼえるわざ

スパーク、アシッドボム、ベノムトラップ

発電器官がむねにある。電気がつくられるとき、ベースのような音がひびく。

しんか

 →

エレズン　　ストリンダー
　　　　　（ローなすがた）

419

ストリンダー

キョダイマックスのすがた

KYODAIMAX STRINDER

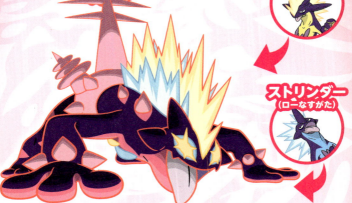

ストリンダー（ハイなすがた）

ストリンダー（ローなすがた）

ありあまる電力が武器。たくわえられた電気の量は、かみなり雲をしのぐほど。

パンクポケモン

ずかんばんごう	**849**
タイプ	でんき / どく
とくせい	パンクロック プラス（ハイなすがた） マイナス（ローなすがた）
たかさ	24.0m〜
おもさ	???.?kg

かいせつ

毒が脳まで回り、暴走。あばれるたびに、毒のあせがほとばしり、大地をけがす。

おぼえるわざ

キョダイカンデン

スナバァ SUNABA

すなはまが、おもなすみか。口の中に手を入れた相手をあやつり、自分を大きくする。

すなやまポケモン

ずかんばんごう	769
タイプ	ゴースト じめん
とくせい	みずがため ……
たかさ	0.5m
おもさ	70.0kg

かいせつ

行きだおれたものの怨念が、子供がつくった砂山に取りつき、誕生したのだ。

おぼえるわざ

かたくなる、メガドレイン、すなあつめ

しんか

スナバァ → シロデスナ

スナヘビ SUNAHEBI

すなへびポケモン	
ずかんばんごう	**843**
タイプ	じめん……
とくせい	すなはき だっぴ
たかさ	2.2m
おもさ	7.6kg

鼻のあなからすなをふんしゃ。てきの目をくらましたすきに、地中にもぐって身をかくす。

かいせつ

あなをほりながら食べたすなを、首のふくろにためている。8キロものすなが入るのだ。

おぼえるわざ

すなかけ、あなをほる、とぐろをまく

しんか

スナヘビ → サダイジャ

422

ズバット

ZUBAT

こうもりポケモン

ずかんばんごう	**041**
タイプ	どく ひこう
とくせい	せいしんりょく ……
たかさ	0.8m
おもさ	7.5kg

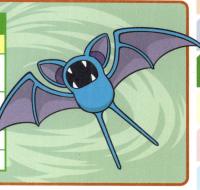

かいせつ

陽の当たらないどうくつにすむ。朝になると仲間で集まり、体を温めあいながらねる。

おぼえるわざ

ちょうおんぱ、すいとる、あやしいひかり

口から出す*超音波で、まわりのようすをさぐる。せまいどうくつも、器用に飛び回る。

しんか

ズバット → ゴルバット → クロバット

＊超音波：人間の耳には聞こえない高い音。

423

スバメ　　　SUBAME

こツバメポケモン	
ずかんばんごう	**276**
タイプ	ノーマル ひこう
とくせい	こんじょう ……
たかさ	0.3m
おもさ	2.3kg

かいせつ
どんな強い相手でも、勇敢にいどむ。負けてもへこたれない根性の持ち主。おなかが空くと、大声で泣いてしまう。

寒い季節は苦手。あたたかい土地をさがし、1日300キロのきょりを飛んで、移動する。

おぼえるわざ
つつく、つばさでうつ、こうそくいどう

しんか

スバメ → オオスバメ

424

スピアー　SPEAR

両手とおしりにある3本の毒バリで、相手をさしてさしてさしまくってこうげきする。

どくばちポケモン

ずかんばんごう	015
タイプ	むし どく
とくせい	むしのしらせ ……
たかさ	1.0m
おもさ	29.5kg

かいせつ

なわばり意識がとても強いので、スピアーのすみかには、近づかないほうが身のためだ。おこると集団でおそってくるぞ。

おぼえるわざ

みだれづき、ダブルニードル、ミサイルばり

しんか

ビードル → コクーン → スピアー

425

メガスピアー

MEGA SPEAR

スピアー

どんな相手でも、強力な毒バリでしとめてしまう。たまに集団でおそってくる。

どくばちポケモン

ずかんばんごう	015
タイプ	むし どく
とくせい	てきおうりょく ……
たかさ	1.4m
おもさ	40.5kg

かいせつ

両足も毒バリに変化。手足のハリでさしまくったあと、しりの毒バリでとどめをさす。

おぼえるわざ

ベノムショック、ダブルニードル、こうそくいどう

スボミー　　SUBOMIE

気温の変化に敏感。つぼみが開きはじめたら、春のおとずれはもうすぐだ。

つぼみポケモン

ずかんばんごう	406
タイプ	くさ どく
とくせい	しぜんかいふく どくのトゲ
たかさ	0.2m
おもさ	1.2kg

かいせつ

毒をふくんだ花粉をまく。きれいな水で育てるほど、毒の成分は高まる。

おぼえるわざ

しびれごな、せいちょう、なやみのタネ

しんか

スボミー　→　ロゼリア　→　ロズレイド

427

スリーパー　SLEEPER

夜にねむれない人のために、病院でお医者さんの手伝いをするスリーパーもいる。

さいみんポケモン

ずかんばんごう	**097**
タイプ	エスパー ……
とくせい	ふみん よちむ
たかさ	1.6m
おもさ	75.6kg

かいせつ

うっかり出会ったときは、目をそらさないときけん。手にもったふりこで、ねむらされてしまう。

おぼえるわざ

さいみんじゅつ、サイコキネシス、あくむ

しんか

  →
スリープ　スリーパー

スリープ　　SLEEPE

いつもいっしょに
ねむってみると、
ときどき昔食べた
ゆめを見せてくれ
る夜がある。

さいみんポケモン

ずかんばんごう	**096**
タイプ	エスパー ……
とくせい	ふみん よちむ
たかさ	1.0m
おもさ	32.4kg

かいせつ

レジャーしせつの近くですがたを見かける。そのばん、子供が見る楽しいゆめをねらっているのだ。

おぼえるわざ

さいみんじゅつ、ねんりき、サイケこうせん

しんか

スリープ　→　スリーパー

429

ズルズキン ZURUZUKIN

とてもあらっぽい性格だが、家族や仲間やなわばりは、大切にするところがある。

あくとうポケモン

ずかんばんごう	560
タイプ	あく かくとう
とくせい	だっぴ じしんかじょう
たかさ	1.1m
おもさ	30.0kg

かいせつ

やる気のなさげなキックは、*ローブシンのもつコンクリートもくだくほどの破壊力。

おぼえるわざ

きあいパンチ、もろはのずつき、いばる

しんか

 →

ズルッグ　　ズルズキン

*ローブシン：「下」にのっているポケモンだよ。

ズルッグ　ZURUGGU

だっぴポケモン

ずかんばんごう	**559**
タイプ	あく かくとう
とくせい	だっぴ じしんかじょう
たかさ	0.6m
おもさ	11.8kg

かいせつ
視線（しせん）が合（あ）ったら、きけん！ 相手（あいて）を選（えら）ばず、頭（ず）つきでおそってくるやっかいものだ。

おぼえるわざ
にらみつける、とびひざげり、かわらわり

じょうぶな皮（かわ）で、身（み）を守（まも）る。皮（かわ）がのびるとき、進化（しんか）をむかえるといわれる。

しんか

ズルッグ → ズルズキン

スワンナ SWANNA

ゆうがな見かけによらず、つばさで力強く羽ばたき、数千キロ飛び続けられる。

しらとりポケモン

ずかんばんごう	**581**
タイプ	みず ひこう
とくせい	するどいめ はとむね
たかさ	1.3m
おもさ	24.2kg

かいせつ

夜明けとともに、スワンナたちは、おどり始める。真ん中でおどるスワンナが、むれのリーダー。

おぼえるわざ

ブレイブバード、みずのはどう、はねやすめ

しんか

 コアルヒー → スワンナ

セキタンザン　SEKITANZAN

せきたんポケモン
ずかんばんごう	839
タイプ	いわ ほのお
とくせい	じょうききかん ほのおのからだ
たかさ	2.8m
おもさ	310.5kg

戦いになると、石炭の山が真っ赤にもえ上がり、火の粉をまき散らして周囲をこがす。

かいせつ
ふだんはおだやかだが人間が鉱山をあらすといかりくるい、1500度のほのおで焼きつくす。

おぼえるわざ
タールショット、もえつきる、ロックカット

しんか

タンドン → トロッゴン → セキタンザン

433

セキタンザン

KYODAIMAX SEKITANZAN

キョダイマックスのすがた

胴体は、巨大なかまど。キョダイマックスパワーにあおられ、2000度のほのおがもえさかる。

セキタンザン

せきたんポケモン

ずかんばんごう	839
タイプ	いわ ほのお
とくせい	じょうききかん ほのおのからだ
たかさ	42.0m〜
おもさ	???.?kg

かいせつ

かつて、大寒波におそわれたとき、巨大なストーブとなり、多くの命を救ったといわれている。

おぼえるわざ

キョダイフンセキ

ゼクロム　ZEKROM

こくいんポケモン

ずかんばんごう	644
タイプ	ドラゴン でんき
とくせい	テラボルテージ ……
たかさ	2.9m
おもさ	345.0kg

ゼクロム　オーバードライブ

人が正しい心をなくすと、はげしいかみなりを落とし、国をほろぼすと神話にえがかれた。

かいせつ

しっぽの内部がモーターのように回ると、何本ものいなずまが発生して、周囲をつらぬく。

おぼえるわざ

らいげき、クロスサンダー、10まんボルト

しんか

ゼクロム　進化しない

435

ゼニガメ　ZENIGAME

かめのこポケモン

ずかんばんごう	**007**
タイプ	みず ……
とくせい	げきりゅう ……
たかさ	0.5m
おもさ	9.0kg

長い首をこうらの中に引っこめるとき、いきおいよく水鉄砲を発射する。

かいせつ

あぶなくなると、こうらに手足を引っこめて身を守りながら、口から水をふき出している。

おぼえるわざ

たいあたり、てっぺき、みずでっぽう

しんか

ゼニガメ → カメール → カメックス

436

ゼブライカ　ZEBRAIKA

いなずまのような瞬発力。ゼブライカが全速力で走ると、雷鳴がひびきわたる。

らいでんポケモン

ずかんばんごう 523

タイプ	でんき ……
とくせい	ひらいしん でんきエンジン
たかさ	1.6m
おもさ	79.5kg

かいせつ

はげしい気性の持ち主。あらぶると、たてがみから、かみなりを四方八方に放電する。

おぼえるわざ

プラズマシャワー、でんげきは、あばれる

しんか

シママ → ゼブライカ

437

ゼラオラ ZEORA

じんらいポケモン

ずかんばんごう	**807**
タイプ	でんき......
とくせい	ちくでん......
たかさ	1.5m
おもさ	44.5kg

手足の肉球から放電。ゼラオラがかけぬけると、いなずまが光り雷鳴がとどろく。

かいせつ

かみなりにひってきするスピードで走り、大電圧を発するツメで、てきを八つざきにする。

おぼえるわざ

プラズマフィスト、グロウパンチ、つめとぎ

しんか

ゼラオラ　進化しない

ゼルネアス　XERNEAS

せいめいポケモン

ずかんばんごう	**716**
タイプ	フェアリー ……
とくせい	フェアリーオーラ ……
たかさ	3.0m
おもさ	215.0kg

樹木のすがたで1000年ねむり、復活する。

かいせつ
頭のツノが七色にかがやくとき、永遠の命を分けあたえるといわれている。

おぼえるわざ
ジオコントロール、ウッドホーン、げきりん

しんか

ゼルネアス　　進化しない

439

セレビィ CELEBI

ときわたりポケモン

ずかんばんごう	251
タイプ	エスパー くさ
とくせい	しぜんかいふく ……
たかさ	0.6m
おもさ	5.0kg

未来から、時をわたってやって来た。キズをいやし、草木に力を分けあたえる。

かいせつ
時をこえる力をもつ。森の神様として、さまざまな時代に、記録が残されている。

おぼえるわざ
リーフストーム、みらいよち、じこさいせい

しんか

セレビィ 進化しない

440

ゾウドウ　ZOUDOU

どうぞうポケモン

ずかんばんごう	**878**
タイプ	はがね……
とくせい	ちからずく……
たかさ	1.2m
おもさ	100.0kg

かいせつ

５トンの荷物をもっても平気な力持ちポケモン。鼻を使って、土をほる。

おぼえるわざ

あなをほる、じならし、アイアンヘッド

力仕事ならおまかせ。はがねの体は雨でさび、あざやかな緑に変わる。

しんか

ゾウドウ　→　ダイオウドウ

441

ソーナノ

SOHNANO

ほがらかポケモン

ずかんばんごう	**360**
タイプ	エスパー……
とくせい	かげふみ……
たかさ	0.6m
おもさ	14.0kg

むれで行動する習性。ねむるときは、どうくつの中で仲間たちと体をよせあう。

かいせつ

大勢の仲間と行動する。おしくらまんじゅうで、がまん強い根性をきたえるのだ。

おぼえるわざ

カウンター、しんぴのまもり、アンコール

しんか

ソーナノ → ソーナンス

442

ソーナンス　SONANS

がまんポケモン
ずかんばんごう	202
タイプ	エスパー ……
とくせい	かげふみ ……
たかさ	1.3m
おもさ	28.5kg

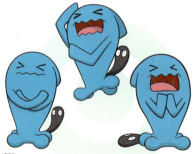

光やショックをきらう。こうげきされると体がふくらみ、反撃が強力になる。

かいせつ
真っ黒なしっぽをかくすため、暗闇でひっそりと生きている。自分からは、こうげきしない。

おぼえるわざ
カウンター、しんぴのまもり、ミラーコート

しんか

ソーナノ → ソーナンス

443

ソルガレオ SOLGALEO

にちりんポケモン

ずかんばんごう	**791**
タイプ	エスパー／はがね
とくせい	メタルプロテクト……
たかさ	3.4m
おもさ	230.0kg

太陽を食らいし獣と、かつてよばれた。*無尽蔵の光エネルギーを放出する。

ライジングフェーズ

かいせつ
全身から光を発して、まるで太陽のすがたになると、やみを消して世界を照らす。

おぼえるわざ
メテオドライブ、メタルバースト、おたけび

しんか

 → → →

コスモッグ　コスモウム　ソルガレオ

444　＊無尽蔵：たくさんあって、無くならないこと。

ソルロック SOLROCK

太陽エネルギーがパワーのみなもとなので、昼間に強い。回転すると体が光る。

いんせきポケモン

ずかんばんごう	338
タイプ	いわ / エスパー
とくせい	ふゆう / ……
たかさ	1.2m
おもさ	154.0kg

かいせつ

宇宙から落ちてきたといわれる新種。空中にうかび、音もなく移動する。戦いになると、強い光を放つ。

おぼえるわざ

あさのひざし、コスモパワー、だいばくはつ

しんか

ソルロック → 進化しない

445

ゾロア ZORUA

わるぎつねポケモン	
ずかんばんごう	**570**
タイプ	あく……
とくせい	イリュージョン……
たかさ	0.7m
おもさ	12.5kg

なにかに化ける能力を身につけたのは、おくびょうな性質のえいきょうらしい。

かいせつ

エサをもとめて人に化け、町にあらわれることもあるぞ。おもに子供に化けている。

おぼえるわざ

わるだくみ、イカサマ、みだれひっかき

しんか

ゾロア → ゾロアーク

ゾロアーク ZOROARK

ばけぎつねポケモン

ずかんばんごう	**571**
タイプ	あく……
とくせい	イリュージョン……
たかさ	1.6m
おもさ	81.1kg

仲間想いのポケモン。おそろしいまぼろしを見せて、すみかやむれを守るのだ。

かいせつ

こどくなトレーナーは、ゾロアークにまぼろしを見せるように命じて、ひとりのさみしさをまぎらわす。

おぼえるわざ

つじぎり、ナイトバースト、みだれひっかき

アカサタナハマヤラワ

しんか

  ➡

ゾロア　　ゾロアーク

447

ダークライ   DARKRAI

あんこくポケモン

ずかんばんごう	**491**
タイプ	あく ……
とくせい	ナイトメア ……
たかさ	1.5m
おもさ	50.5kg

かいせつ
自分を守るために、まわりの人やポケモンに悪夢を見せるが、ダークライに悪気はないのだ。

深いねむりにさそう力で、人やポケモンに悪夢を見せて、自分のなわばりから追い出す。

おぼえるわざ
ダークホール、あくむ、あくのはどう

しんか

ダークライ

進化しない

448

ダーテング DIRTENG

森の神様とおそれられ
ていたポケモン。相手
の考えを読み、先回り
する能力をもつ。

よこしまポケモン

ずかんばんごう	**275**
タイプ	くさ / あく
とくせい	ようりょくそ / はやおき
たかさ	1.3m
おもさ	59.6kg

かいせつ

森のおくで、ひっそりとくらす。大きなうちわをあおぐと、木がらしがふくといわれている。

おぼえるわざ

グラスミキサー、リーフブレード、いばる

しんか

 タネボー → コノハナ → ダーテング

449

ダイオウドウ DAIOUDOU

どうぞうポケモン

ずかんばんごう	879
タイプ	はがね ……
とくせい	ちからずく ……
たかさ	3.0m
おもさ	650.0kg

むれをつくってくらしている。鼻の握力は、大岩も粉ごなにくだくほど強い。

かいせつ

緑の皮膚は水にも強い。昔、ほかの土地からやってきて、人といっしょに働いた。

おぼえるわざ

ヘビーボンバー、かいりき、10まんばりき

しんか

ゾウドウ → ダイオウドウ

450

ダイオウドウ

KYODAIMAX DAIOUDOU

キョダイマックスのすがた

ダイオウドウ

キョダイマックスした巨大な鼻は、巨大建造物も一撃で解体してしまう。

ア カ サ タ ナ ハ マ ヤ ラ ワ

どうぞうポケモン

ずかんばんごう	879
タイプ	はがね ……
とくせい	ちからずく ……
たかさ	23.0m〜
おもさ	???.?kg

かいせつ

鼻の中にみっちりつまったエネルギーをふんしゃさせると、山がふき飛び、地形が変わる。

おぼえるわざ

キョダイコウジン

451

ダイケンキ　DAIKENKI

かんろくポケモン	
ずかんばんごう	503
タイプ	みず ……
とくせい	げきりゅう ……
たかさ	1.5m
おもさ	94.6kg

前足の鎧の一部が、大きな剣になっている。ほえるだけで、てきをいあつする。

かいせつ

鎧にしこまれた剣のひとふりで、相手をたおす。ひとにらみで、てきをだまらせる。

おぼえるわざ

ハイドロポンプ、つるぎのまい、きりさく

しんか

 → →

ミジュマル　フタチマル　ダイケンキ

ダイノーズ　DAINOSE

3つの小さなユニットを使い、エサをとったり、てきと戦う。本体は、ほぼ命令するだけ。

コンパスポケモン

ずかんばんごう	476
タイプ	いわ はがね
とくせい	がんじょう じりょく
たかさ	1.4m
おもさ	340.0kg

かいせつ

チビノーズとよばれるユニットをあやつるが、たまに迷子になって、帰ってこないこともあるらしい。

おぼえるわざ

トライアタック、でんじほう、とおせんぼう

しんか

 →

ノズパス　　ダイノーズ

タイプ：ヌル　TYPE:NULL

じんこうポケモン	
ずかんばんごう	772
タイプ	ノーマル ……
とくせい	カブトアーマー ……
たかさ	1.9m
おもさ	120.5kg

あるにんむのために開発されたポケモン兵器。実験中に暴走したため、*凍結された。

かいせつ
神話のポケモンをモデルにつくられたが、力の暴走をおさえるマスクを着けられている。

おぼえるわざ
ブレイククロー、ダブルアタック、とっしん

しんか

タイプ：ヌル　→　シルヴァディ

*凍結：計画を止めること。

タイレーツ

TAIRETSU

じんけいポケモン

ずかんばんごう	870
タイプ	かくとう......
とくせい	カブトアーマー......
たかさ	3.0m
おもさ	62.0kg

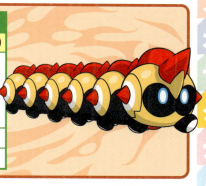

6ぴきで1ぴきのポケモン。隊列を組みかえながら、チームワークで戦うのだ。

かいせつ

ヘイチョーとよばれる1ぴきと、ヘイとよばれる5ひきで1つ。ヘイチョーの命令は絶対。

おぼえるわざ

であいがしら、はいすいのじん、メガホーン

しんか

タイレーツ

進化しない

455

ダグトリオ DUGTRIO

もぐらポケモン	
ずかんばんごう	**051**
タイプ	じめん ……
とくせい	すながくれ ありじごく
たかさ	0.7m
おもさ	33.3kg

いつも仲良しの三つ子だが、ごくまれに、どの頭が初めにエサを食べるかで、大ゲンカになる。

かいせつ

チームワークにすぐれた三つ子のディグダ。地下100キロまでほって、地震を起こすこともある。

おぼえるわざ

トライアタック、じしん、だいちのちから

しんか ディグダ → ダグトリオ

456

ダグトリオ
アローラのすがた

ALOLA DUGTRIO

3びきはとても仲良し。ばつぐんのコンビネーションで強敵に立ち向かい、たおす。

もぐらポケモン

ずかんばんごう	**051**
タイプ	じめん はがね
とくせい	すながくれ カーリーヘアー
たかさ	0.7m
おもさ	66.6kg

かいせつ

美しい金属質のヒゲは、ヘルメットのように頭をほごし、かつ、高度なセンサーでもある。

おぼえるわざ

アイアンヘッド、つじぎり、トライアタック

 しんか

ディグダ
(アローラのすがた)

ダグトリオ
(アローラのすがた)

ダクマ　DAKUMA

けんぽうポケモン

ずかんばんごう	**891**
タイプ	かくとう ……
とくせい	せいしんりょく ……
たかさ	0.6m
おもさ	12.0kg

頭の白く長い体毛を引っぱると気合が高まり、*丹田からパワーがわきあがる。

かいせつ

きびしいたんれんを積み、わざをみがく。体得したわざによって、進化したときのすがたが変わる。

おぼえるわざ

かわらわり、きあいだめ、ばくれつパンチ

しんか

ダクマ → ウーラオス（いちげきのかた）　ウーラオス（れんげきのかた）

*丹田：へその少し下のところ。

ダゲキ DAGEKI

きたえにきたえた ダゲキがくり出す 必殺空手チョップ*は、海もわるほどの破壊力。

からてポケモン

ずかんばんごう	539
タイプ	かくとう ……
とくせい	がんじょう せいしんりょく
たかさ	1.4m
おもさ	51.0kg

かいせつ

ひたすらに強さを求める。山で修行するダゲキを見たら、静かに立ち去ろう。

おぼえるわざ

インファイト、ローキック、かわらわり

しんか

ダゲキ　進化しない

*チョップ：上から物をたたき切るようにして打つ打ち方。

459

ダストダス　DUSTDAS

右うでから出す毒液は、弱った生物が浴びれば、即死するほどきけんなシロモノ。

ゴミすてばポケモン

ずかんばんごう	**569**
タイプ	どく ……
とくせい	あくしゅう くだけるよろい
たかさ	1.9m
おもさ	107.3kg

かいせつ

食べたゴミが、体内で毒に変化する。食べるゴミしだいで、毒の主成分も変わる。

おぼえるわざ

ヘドロこうげき、だいばくはつ、どくびし

しんか

ヤブクロン　→　ダストダス

ダストダス

キョダイマックスのすがた

KYODAIMAX
DUSTDAS

口や指先からふんしゃする毒ガスを浴びると、ホネのずいまで毒におかされてしまう。

ダストダス

ゴミすてばポケモン

ずかんばんごう	**569**
タイプ	どく ……
とくせい	あくしゅう くだけるよろい
たかさ	21.0m 〜
おもさ	???.?kg

かいせつ

キョダイマックスのパワーによってこくなった毒ガスが、すてられたおもちゃの形に固まった。

おぼえるわざ

キョダイシュウキ

461

タタッコ TATAKKO

だだっこポケモン	
ずかんばんごう	**852**
タイプ	かくとう ……
とくせい	じゅうなん ……
たかさ	0.6m
おもさ	4.0kg

3歳児くらいのかしこさ。触手はよくちぎれるが、再生するので、気にしない。

かいせつ

エサを求め、地上に上がる。好奇心おうせいで、目にしたものはとりあえず触手でなぐる。

おぼえるわざ

にらみつける、いわくだき、かわらわり

しんか

タタッコ → オトスパス

ダダリン　DADARIN

海にいかりを下ろして、獲物を待ちぶせ。大物のホエルオー＊をつかまえて、生気をすいとる。

もくずポケモン

ずかんばんごう	781
タイプ	ゴースト　くさ
とくせい	はがねつかい　……
たかさ	3.9m
おもさ	210.0kg

かいせつ

海底をただようもくずが、沈没船の部品を取りこんで、ゴーストポケモンに生まれ変わった。

おぼえるわざ

アンカーショット、ギガドレイン、うずしお

しんか

ダダリン　進化しない

＊ホエルオー：「下」にのっているポケモンだよ。

463

タチフサグマ　TACHIFUSAGUMA

ていしポケモン	
ずかんばんごう	**862**
タイプ	あく ノーマル
とくせい	すてみ こんじょう
たかさ	1.6m
おもさ	46.0kg

ケンカをくり返し、進化。うでをクロスし、さけぶおたけびは、どんな相手もひるませるぞ。

かいせつ

すさまじい声量をもつ。*シャウトとともにいかくするさまは、ブロッキングとよばれている。

おぼえるわざ

ブロッキング、バークアウト、ちょうはつ

しんか

  →   →

ジグザグマ　　　マッスグマ　　　タチフサグマ
（ガラルのすがた）（ガラルのすがた）

＊シャウト：大声でさけぶこと。

タッツー　TATTU

ドラゴンポケモン

ずかんばんごう	116
タイプ	みず ……
とくせい	すいすい スナイパー
たかさ	0.4m
おもさ	8.0kg

かいせつ
しおの流れがおだやかな海にすむ。おそわれると、真っ黒なすみをはいて、そのすきににげだす。

おぼえるわざ
みずでっぽう、りゅうのいぶき、あまごい

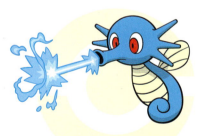

水中をおどるように泳いで、うずをつくる。仲間と、うずの大きさを競って遊ぶ。

しんか

タッツー　→　シードラ　→　キングドラ

465

タツベイ　TATSUBAY

むれをつくらず、
1ぴきでくらす。
一撃でかたい岩石
を真っ二つにする
石頭をもつ。

いしあたまポケモン

ずかんばんごう	**371**
タイプ	ドラゴン ……
とくせい	いしあたま ……
たかさ	0.6m
おもさ	42.1kg

かいせつ

いつか空を飛ぶために、毎日がけから飛びおりて、体をきたえる訓練を続けている。

おぼえるわざ

ひのこ、かみくだく、すてみタックル

しんか

タツベイ → コモルー → ボーマンダ

タテトプス　TATETOPS

シールドポケモン

ずかんばんごう 410

タイプ	いわ / はがね
とくせい	がんじょう ……
たかさ	0.5m
おもさ	57.0kg

かいせつ
草食のおとなしいポケモン。じょうぶな顔の皮膚で地面をほり、木の根っこなども食べていた。

おぼえるわざ
げんしのちから、てっぺき、アイアンヘッド

太古の地層から化石が見つかるが、顔の部分以外が発見されたことはない。

しんか

タテトプス → トリデプス

467

タネボー

TANEBOH

頭の先をえだにくっつけて、ぶら下がる。強風にあおられ、落ちてしまうこともあるのだ。

どんぐりポケモン	
ずかんばんごう	**273**
タイプ	くさ ……
とくせい	ようりょくそ はやおき
たかさ	0.5m
おもさ	4.0kg

かいせつ

じっと動かずにいると、木の実とそっくり。ついばみにやって来たポケモンを、おどろかせて遊ぶ。

おぼえるわざ

にほんばれ、メガドレイン、しぜんのちから

しんか

タネボー → コノハナ → ダーテング

ダブラン   DOUBLAN

分裂した2つの脳み その考えは、ほぼ一 致せず、まるで行動 が読めない。

ぶんかつポケモン

ずかんばんごう 578

タイプ	エスパー ……
とくせい	ぼうじん マジックガード
たかさ	0.6m
おもさ	8.0kg

かいせつ

2つの脳みその意見が一致したときの念力は、周囲1キロにおよぶという。

おぼえるわざ

じこさいせい、サイコキネシス、あまえる

しんか

 → →

ユニラン　　ダブラン　　ランクルス

469

タブンネ　　TABUNNE

ヒヤリングポケモン

ずかんばんごう	531
タイプ	ノーマル ……
とくせい	いやしのこころ さいせいりょく
たかさ	1.1m
おもさ	31.0kg

心やさしいポケモン。触角をおし当て、相手の気持ちや体調を理解する。

かいせつ
すぐれた聴覚をもっている。2キロ先で転がった小石の音も、聴きとることができる。

おぼえるわざ
いのちのしずく、いやしのはどう、てだすけ

しんか

タブンネ　進化しない

メガタブンネ

MEGA TABUNNE

タブンネ

アカサタナハマヤラワ

耳の触角で相手にふれると、心臓の音で、体調や気持ちがわかるのだ。

ヒヤリングポケモン

ずかんばんごう	**531**
タイプ	ノーマル フェアリー
とくせい	いやしのこころ ……
たかさ	1.5m
おもさ	32.0kg

かいせつ

けたはずれの聴力をもつ。かすかな音で、まわりのようすをレーダーのようにキャッチする。

おぼえるわざ

おうふくビンタ、ハイパーボイス、ミストフィールド

タマゲタケ　TAMAGETAKE

きのこポケモン	
ずかんばんごう	**590**
タイプ	くさ どく
とくせい	ほうし ……
たかさ	0.2m
おもさ	1.0kg

両手からふき出す胞子は猛毒だが、よくかわかせば、おなかの薬になるという。

かいせつ

モンスターボールによくにたもようの意味や理由は、いまだに、だれもわからない。

おぼえるわざ

おどろかす、いかりのこな、キノコのほうし

しんか

タマゲタケ → モロバレル

472

タマザラシ　TAMAZARASHI

てたたきポケモン	
ずかんばんごう	363
タイプ	こおり みず
とくせい	あついしぼう アイスボディ
たかさ	0.8m
おもさ	39.5kg

かいせつ
波間にただよい、海のようすをさぐる。獲物を発見すると、むれの*トドゼルガに知らせるのだ。

おぼえるわざ
なみのり、みずでっぽう、まるくなる

ぶあついしぼうに包まれた、見事にまんまるな体。歩くより、転がるほうが速い。

しんか

タマザラシ → トドグラー → トドゼルガ

*トドゼルガ：「下」にのっているポケモンだよ。

473

タマタマ TAMATAMA

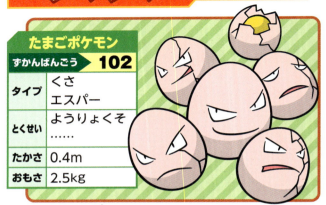

たまごポケモン	
ずかんばんごう	102
タイプ	くさ エスパー
とくせい	ようりょくそ ……
たかさ	0.4m
おもさ	2.5kg

6ぴきでいないと、落ちつかない。1ぴきでもいなくなると、とたんににげごしになるのだ。

かいせつ

タマゴのように見えるが、立派なポケモン。テレパシーで、仲間と交信しているらしいぞ。

おぼえるわざ

さいみんじゅつ、すいとる、ギガドレイン

しんか

タマタマ → ナッシー　ナッシー（アローラのすがた）

474

タマンタ TAMANTA

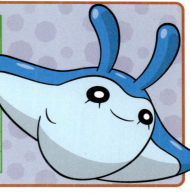

カイトポケモン

ずかんばんごう	458
タイプ	みず ひこう
とくせい	すいすい ちょすい
たかさ	1.0m
おもさ	65.0kg

テッポウオのむれにまざって泳ぐ。てきにおそわれると、むれといっしょに戦うよ。

かいせつ
海の水温が低いためか、ガラル地方にすむタマンタは、やや動きがにぶいらしい。

おぼえるわざ
みずでっぽう、とびはねる、バブルこうせん

しんか

タマンタ → マンタイン

475

タルップル   TARUPPLE

りんごじるポケモン	
ずかんばんごう	**842**
タイプ	くさ ドラゴン
とくせい	じゅくせい くいしんぼう
たかさ	0.4m
おもさ	13.0kg

あまいミツで体がおおわれ、背中の皮はとくにあまく、昔は子供のおやつだった。

かいせつ

あまいりんごを食べて進化。体からあまいにおいを出して、エサの虫ポケモンを引きよせる。

おぼえるわざ

ずつき、タネマシンガン、りゅうのはどう

しんか

カジッチュ → タルップル

476

タルップル

キョダイマックスのすがた

KYODAIMAX TARUPPLE

体内のミツを大量にふんしゃして浴びせかけ、べたべたの粘液の中で、窒息させる。

タルップル

りんごじるポケモン

ずかんばんごう	842
タイプ	くさ ドラゴン
とくせい	じゅくせい くいしんぼう
たかさ	24.0m〜
おもさ	???.?kg

かいせつ

キョダイマックスのパワーによって、ミツの粘度はさらに高くなり、ダメージを吸収する。

おぼえるわざ

キョダイカンロ

477

ダルマッカ DARUMAKKA

だるまポケモン	
ずかんばんごう	**554**
タイプ	ほのお ……
とくせい	はりきり ……
たかさ	0.6m
おもさ	37.5kg

体の中でもえるほのおが、パワーのみなもと。火が小さくなると、たちまちねむってしまう。

かいせつ

ねているときは、おしても引いても、けっしてたおれない。縁起物のモチーフとして、人気が高い。

おぼえるわざ

ひのこ、ほのおのキバ、ほのおのパンチ

しんか

 →

ダルマッカ　　ヒヒダルマ

ダルマッカ
ガラルのすがた

GALAR DARUMAKKA

だるまポケモン		
ずかんばんごう		554
タイプ	こおり ……	
とくせい	はりきり ……	
たかさ	0.7m	
おもさ	40.0kg	

体が冷えるほど、元気。吐息をこおらせてつくった雪玉を、投げ合って遊ぶ。

かいせつ
雪深い土地でくらすうち、ほのおぶくろは冷えきり、退化。冷気をつくる器官ができた。

おぼえるわざ
こなゆき、ふるいたてる、れいとうパンチ

しんか

ダルマッカ（ガラルのすがた） → ヒヒダルマ（ガラルのすがた）

479

ダンゴロ

DANGORO

マントルポケモン

ずかんばんごう	524
タイプ	いわ ……
とくせい	がんじょう くだけるよろい
たかさ	0.4m
おもさ	18.0kg

音に反応し、動きだす。エネルギーコアのえいきょうで、さわると少し温かい。

かいせつ

鉄と同じくらいかたいが、長く水につかっていると、ちょっとやわらかくなるらしい。

おぼえるわざ

すなかけ、いわなだれ、ステルスロック

しんか ダンゴロ → ガントル → ギガイアス

タンドン　TANDON

およそ400年前に、炭鉱で見つかった。体のほとんどが、石炭と同じ成分。

せきたんポケモン

ずかんばんごう	837
タイプ	いわ ……
とくせい	じょうききかん たいねつ
たかさ	0.3m
おもさ	12.0kg

かいせつ

岩だらけの悪路をものともせず、一輪車のように走り回る。石炭をもやして生きている。

おぼえるわざ

えんまく、たいあたり、げんしのちから

しんか

タンドン → トロッゴン → セキタンザン

481

ダンバル　　DUMBBER

体の細胞は、磁石でできている。血液のかわりに、磁力が全身をめぐる。

てっきゅうポケモン

ずかんばんごう	**374**
タイプ	はがね エスパー
とくせい	クリアボディ ……
たかさ	0.6m
おもさ	95.2kg

かいせつ

磁力をおしりから発生させ、てきをいきおいよくすいよせて、するどいツメでくしざしにする。

おぼえるわざ

たいあたり

しんか

ダンバル → メタング → メタグロス

チェリム

CHERRIM

サクラポケモン

ずかんばんごう	421
タイプ	くさ ……
とくせい	フラワーギフト ……
たかさ	0.5m
おもさ	9.3kg

ポジフォルム

ネガフォルム

つぼみのあいだは、おとなしく、ほぼ動かない。日の光が出るのをじっと待っている。

かいせつ

ポジフォルムは太陽の光を浴びて、元気いっぱいのすがた。日ぐれまでは活発だ。

おぼえるわざ

フラワーガード、はなふぶき、にほんばれ

しんか

チェリンボ　　　チェリム

483

チェリンボ　CHERINBO

さくらんぼポケモン

ずかんばんごう	420
タイプ	くさ ……
とくせい	ようりょくそ ……
たかさ	0.4m
おもさ	3.3kg

小さな玉につまった栄養分をすい取って、進化のエネルギーにするのだ。

かいせつ

栄養のつまった玉は、鳥ポケモンの大好物。ついばまれないよう、にげ回る。

おぼえるわざ

あさのひざし、マジカルリーフ、このは

しんか　チェリンボ → チェリム

チゴラス　CHIGORAS

よみがえった古代のポケモン。気性はあらく、身勝手。大あごで、なんでもかみくだく。

ようくんポケモン

ずかんばんごう	696
タイプ	いわ ドラゴン
とくせい	がんじょうあご ……
たかさ	0.8m
おもさ	26.0kg

かいせつ

わがままだが、あまえんぼう。じゃれているだけで、トレーナーに大けがを負わせてしまう。

おぼえるわざ

いわなだれ、かみくだく、ドラゴンテール

しんか

チゴラス → ガチゴラス

チコリータ　CHICORITA

はっぱポケモン

ずかんばんごう	152
タイプ	くさ ……
とくせい	しんりょく ……
たかさ	0.9m
おもさ	6.4kg

かいせつ

葉っぱをふり回して相手をいかくするが、葉っぱからあまいかおりがただようので、おたがいに和やかな雰囲気になるよ。

おぼえるわざ

のしかかり、はっぱカッター、こうごうせい

頭の葉っぱで、まわりの温度や湿度をさぐる。日差しを浴びることが大好き。

しんか

チコリータ　→　ベイリーフ　→　メガニウム

チャーレム　CHAREM

めいそうポケモン

ずかんばんごう	308
タイプ	かくとう エスパー
とくせい	ヨガパワー ……
たかさ	1.3m
おもさ	31.5kg

かいせつ

ヨガの力で第六感が発達して、サイコパワーをあやつれるようになった。1か月間、なにも食べずにめいそうする。

めいそうすることで体のエネルギーが高まり、第六感がするどくなるという。野山と一体になって気配を消す。

おぼえるわざ

はっけい、めざめるパワー、ヨガのポーズ

しんか

アサナン → チャーレム

487

メガチャーレム

MEGA CHAREM

チャーレム

ヨガの修行できたえられたサイコパワーで、相手の動きを予測することができるのだ。

めいそうポケモン

ずかんばんごう	308
タイプ	かくとう エスパー
とくせい	ヨガパワー ……
たかさ	1.3m
おもさ	31.5kg

かいせつ

ダンスのようなゆうがな動きでこうげきをかわして、強烈な一撃を相手におみまいする。

おぼえるわざ

パワートリック、しねんのずつき、ヨガのポーズ

チャオブー CHAOBOO

ひぶたポケモン

ずかんばんごう	499
タイプ	ほのお かくとう
とくせい	もうか ……
たかさ	1.0m
おもさ	55.5kg

体内のほのおがもえ上がると、動きのキレとスピードがます。ピンチになると、けむりをふき出す。

かいせつ

食べるほどにもやすものがふえて、胃袋内のほのおが強まり、パワーもどんどんあふれ出すのだ。

おぼえるわざ

つっぱり、ヒートスタンプ、ニトロチャージ

しんか

 → →

ポカブ　チャオブー　エンブオー

489

チュリネ　CHURINE

ねっこポケモン

ずかんばんごう	**548**
タイプ	くさ ……
とくせい	ようりょくそ マイペース
たかさ	0.5m
おもさ	6.6kg

葉の色がこいほど、健康。手入れのいきとどいた畑や、花壇にすみつくこともある。

かいせつ

きれいな水辺にあらわれる。頭の葉をにだしたしるは、虫よけに使われることもある。

おぼえるわざ

すいとる、やどりぎのタネ、ねむりごな

しんか

チュリネ → ドレディア

490

チョボマキ CHOBOMAKI

電気エネルギーに反応する不思議な体質。カブルモとともにいると、なぜか進化する。

マイマイポケモン	
ずかんばんごう	616
タイプ	むし ……
とくせい	うるおいボディ シェルアーマー
たかさ	0.4m
おもさ	7.7kg

かいせつ

てきにおそわれると、カラのふたをがっちりしめて、身を守る。ただし、カブルモには開けられる。

おぼえるわざ

すいとる、むしのさざめき、メガドレイン

しんか

チョボマキ → アギルダー

491

チョロネコ CHORONEKO

しょうわるポケモン

ずかんばんごう	**509**
タイプ	あく ……
とくせい	じゅうなん かるわざ
たかさ	0.4m
おもさ	10.1kg

こまったすがたを見るために、人のものをぬすみ出す。クスネとはライバルなのだ。

かいせつ

愛くるしいしぐさで油断させ、よってきた相手を、いきなりツメでひっかいて、笑っている。

おぼえるわざ

みだれひっかき、わるだくみ、じゃれつく

しんか

チョロネコ → レパルダス

492

チョンチー CHONCHIE

あんこうポケモン
ずかんばんごう 170

タイプ	みず でんき
とくせい	ちくでん はっこう
たかさ	0.5m
おもさ	12.0kg

暗い海底では、いつも点滅している触手の灯りだけが通信手段。

かいせつ
ヒレが変化してできた触手は、それぞれがプラスとマイナスの電気が、流れている。

おぼえるわざ
ちょうおんぱ、みずでっぽう、でんじは

しんか

チョンチー → ランターン

493

チラーミィ　CHILLARMY

\--	チンチラポケモン
ずかんばんごう	572
タイプ	ノーマル ……
とくせい	メロメロボディ テクニシャン
たかさ	0.4m
おもさ	5.8kg

しっぽで、よごれをはらい落とす。そうじをするときに助かるが、潔癖症なので大変。

かいせつ
しっぽで、なであってあいさつ。しっぽの毛が大きなほうが、少しいばっているぞ。

おぼえるわざ
スピードスター、つぶらなひとみ、あまえる

しんか
チラーミィ → チラチーノ

＊潔癖：きたないものを、ひどくきらう性質。

チラチーノ　CHILLACCINO

特別な油のしみた毛は、こうげきを受け流す。油は、高値で取り引きされている。

スカーフポケモン

ずかんばんごう	**573**
タイプ	ノーマル ……
とくせい	メロメロボディ テクニシャン
たかさ	0.5m
おもさ	7.5kg

かいせつ

ちり1つゆるせない潔癖。体からしみ出る油を巣にぬりつけ、*コーティングする。

おぼえるわざ

スイープビンタ、エコーボイス、うたう

しんか

チラーミィ → チラチーノ

*コーティング：物の表面に、うすいまくをつけておおうこと。

495

チリーン CHIREAN

声を体の空洞に反響させる。おこったときの鳴き声は、てきをふき飛ばす威力をもった超音波になるぞ。

ふうりんポケモン	
ずかんばんごう	358
タイプ	エスパー ……
とくせい	ふゆう ……
たかさ	0.6m
おもさ	1.0kg

かいせつ

風が強くなると、木のえだや軒下に頭のきゅうばんでぶら下がり、鳴きだす。長いしっぽで、木の実をつまんで食べる。

おぼえるわざ

いやしのすず、サイコウェーブ、とっしん

しんか

リーシャン → チリーン

＊超音波：人間の耳には聞こえない高い音。

チルタリス　　　TYLTALIS

ハミングポケモン

ずかんばんごう	334
タイプ	ドラゴン ひこう
とくせい	しぜんかいふく ……
たかさ	1.1m
おもさ	20.6kg

大空をゆったりと飛びながら、耳にしたものをうっとりさせる美しいハミングをかなでる。

かいせつ

やさしい性質だが、おこらせるとするどい鳴き声でいかくして、ようしゃないこうげきをくわえる。

おぼえるわざ

りゅうのはどう、ゴッドバード、みだれづき

しんか

チルット　→　チルタリス

メガチルタリス

MEGA TYLTALIS

チルタリス

美しいソプラノで歌うポケモン。綿雲のようなつばさで上昇気流を受けて、大空へまい上がる。

ハミングポケモン

ずかんばんごう	**334**
タイプ	ドラゴン フェアリー
とくせい	フェアリースキン ……
たかさ	1.5m
おもさ	20.6kg

かいせつ

綿雲にまぎれて大空をまう。すき通った声でメロディをさえずれば、耳にしたものはうっとり夢心地。

おぼえるわざ

りゅうのいぶき、ムーンフォース、コットンガード

チルット　TYLTTO

綿雲に見えるため、てきから見つかりにくい。世代を重ねるうち、つばさが白くなったという。

わたどりポケモン

ずかんばんごう	**333**
タイプ	ノーマル ひこう
とくせい	しぜんかいふく ……
たかさ	0.4m
おもさ	1.2kg

かいせつ

真綿のようなつばさは、空気をふくんでふわふわのさわり心地。こまめな手入れを欠かさない。

おぼえるわざ

りゅうのいぶき、うたう、チャームボイス

しんか

チルット → チルタリス

499

ツタージャ　TSUTARJA

くさへびポケモン

ずかんばんごう	495
タイプ	くさ ……
とくせい	しんりょく ……
たかさ	0.6m
おもさ	8.1kg

しっぽで太陽の光を浴びて、光合成をする。元気をなくすと、しっぽがたれ下がる。

かいせつ

太陽の光を浴びると、いつもよりもすばやく動ける。手よりも、ツルをうまく使う。

おぼえるわざ

つるのムチ、メガドレイン、やどりぎのタネ

しんか

ツタージャ　→　ジャノビー　→　ジャローダ

500

ツチニン　　TUTININ

10年以上、土の中でくらすこともある。樹木の根っこから、栄養をすいとる。

したづみポケモン

ずかんばんごう	290
タイプ	むし じめん
とくせい	ふくがん ……
たかさ	0.5m
おもさ	5.5kg

かいせつ

長いあいだ地中でくらしていたため、目はほとんど見えない。触角で、ようすをさぐる。

おぼえるわざ

すなかけ、あなをほる、みだれひっかき

しんか

ツチニン　→　テッカニン　ヌケニン

ツツケラ TSUTSUKERA

細く見えるが、強靭な首の筋肉をもつ。秒間16連打で、木をつきまくるぞ。

きつつきポケモン

ずかんばんごう	731
タイプ	ノーマル ひこう
とくせい	するどいめ スキルリンク
たかさ	0.3m
おもさ	1.2kg

かいせつ

かたいクチバシで樹木をつつく。つつくリズムで、そのときのきげんや体調も、なんとなくわかる。

おぼえるわざ

つつく、ちょうおんぱ、タネマシンガン

しんか

ツツケラ → ケララッパ → ドデカバシ

ツボツボ TSUBOTSUBO

ツボのようなこうらの中にためこんだ木の実は、いつの間にかドロドロのジュースに変わる。

はっこうポケモン

ずかんばんごう	213
タイプ	むし / いわ
とくせい	がんじょう / くいしんぼう
たかさ	0.6m
おもさ	20.5kg

かいせつ

こうらに、木の実をたくわえている。おそわれないように、岩の下にこもって、じっとしている。

おぼえるわざ

からにこもる、いわおとし、ねばねばネット

しんか

ツボツボ → 進化しない

ツンデツンデ TUNDETUNDE

ウルトラホールから出現した。複数の生命が積み上がり、1ぴきを形成しているようだ。

いしがきポケモン

ずかんばんごう	**805**
タイプ	いわ はがね
とくせい	ビーストブースト ……
たかさ	5.5m
おもさ	820.0kg

かいせつ

ウルトラビーストらしきなぞの生命体。とつぜん動き出しておそってきた石垣の正体は、こいつだ。

おぼえるわざ

ロックブラスト、でんじふゆう、てっぺき

しんか

ツンデツンデ 進化しない

ツンベアー　TUNBEAR

冷たい海を元気に泳ぐ。つかれたときは、吐息で海水をこおらせて、その上で休むぞ。

とうけつポケモン

ずかんばんごう	614
タイプ	こおり ……
とくせい	ゆきがくれ ゆきかき
たかさ	2.6m
おもさ	260.0kg

かいせつ

吐息をこおらせつくったキバは、はがねよりかたい。寒い海を、エサをさがして泳ぎ回る。

おぼえるわざ

つららおとし、ぜったいれいど、ばかぢから

しんか

クマシュン

ツンベアー

505

ディアルガ

DIALGA

じかんポケモン

ずかんばんごう	**483**
タイプ	はがね ドラゴン
とくせい	プレッシャー ……
たかさ	5.4m
おもさ	683.0kg

時間をあやつる力をもつ。シンオウ地方では神様とよばれ、神話に登場する。

かいせつ
ディアルガが生まれたことで、時間が動き出したという伝説をもつポケモン。

おぼえるわざ
ときのほうこう、はどうだん、メタルクロー

しんか

ディアルガ　進化しない

506

ディアンシー　DIANCIE

ほうせきポケモン

ずかんばんごう	**719**
タイプ	いわ／フェアリー
とくせい	クリアボディ ……
たかさ	0.7m
おもさ	8.8kg

＊メレシーの突然変異。ピンク色にかがやく体は、世界一美しいといわれる。

かいせつ
両手のすきまで空気中の炭素をあっしゅくして、たくさんのダイヤを一瞬で生み出す。

おぼえるわざ
ダイヤストーム、パワージェム、いわなだれ

しんか

ディアンシー
進化しない

＊メレシー：「下」にのっているポケモンだよ。

507

メガディアンシー

MEGA DIANCIE

＊メレシーの突然変異。ピンク色にかがやく体は、世界一美しいといわれる。

ディアンシー

ほうせきポケモン

ずかんばんごう	719
タイプ	いわ フェアリー
とくせい	マジックミラー ……
たかさ	1.1m
おもさ	27.8kg

かいせつ

両手のすきまで空気中の炭素をあっしゅくして、たくさんのダイヤを一瞬で生み出す。

おぼえるわざ

ダイヤストーム、ムーンフォース、ストーンエッジ

＊メレシー：「下」にのっているポケモンだよ。

ディグダ

DIGDA

もぐらポケモン	
ずかんばんごう	**050**
タイプ	じめん ……
とくせい	すながくれ ありじごく
たかさ	0.2m
おもさ	0.8kg

かいせつ
地中の浅いところを移動。ほり進んだあとは、地面がもり上がっているので、すぐわかる。

おぼえるわざ
あなをほる、おどろかす、すなあらし

ディグダが通ったあとの大地は、ほどよくたがやされて、最高の畑になる。

しんか

ディグダ → ダグトリオ

509

ディグダ
アローラのすがた

ALOLA DIGDA

金属成分を多くふくむ地質がえいきょうして、はがねのヒゲが頭から生えてきた。

もぐらポケモン

ずかんばんごう	**050**
タイプ	じめん はがね
とくせい	すながくれ カーリーヘアー
たかさ	0.2m
おもさ	1.0kg

かいせつ

3本のヒゲは、感情で形を変えるので、仲間同士のコミュニケーションに役立つ。

おぼえるわざ

メタルクロー、あなをほる、じならし

しんか

ディグダ（アローラのすがた） → ダグトリオ（アローラのすがた）

テールナー　TAIRENAR

木のえだをしっぽにさしている。しっぽの毛のまさつ熱で、えだに火をつけて戦う。

キツネポケモン	
ずかんばんごう	**654**
タイプ	ほのお ……
とくせい	もうか ……
たかさ	1.0m
おもさ	14.5kg

かいせつ

木のえだをしっぽから引きぬくとき、まさつで着火。えだのほのおをふって、仲間に合図を送る。

おぼえるわざ

ニトロチャージ、サイケこうせん、おにび

しんか

フォッコ → テールナー → マフォクシー

511

デオキシス

アタックフォルム

DEOXYS ATTACK FORME

DNAポケモン	
ずかんばんごう	**386**
タイプ	エスパー ……
とくせい	プレッシャー ……
たかさ	1.7m
おもさ	60.8kg

知能が高く、超能力をあやつる。むねの水晶体から、レーザーを出す。

かいせつ

レーザーを浴びた宇宙ウィルスの*DNAが、突然変異を起こして生まれたポケモン。むねの水晶体が、脳みそらしい。

おぼえるわざ

サイコブースト、はかいこうせん、おいうち

しんか

進化しない

デオキシス
（アタックフォルム）

512　＊DNA：親の形や性質を子につたえる遺伝子のこと。

デオキシス

スピードフォルム

DEOXYS SPEED FORME

DNAポケモン

ずかんばんごう	386
タイプ	エスパー ……
とくせい	プレッシャー ……
たかさ	1.7m
おもさ	60.8kg

知能が高く、超能力をあやつる。むねの水晶体から、レーザーを出す。

かいせつ

レーザーを浴びた宇宙ウィルスのDNAが、突然変異を起こして生まれたポケモン。むねの水晶体が、脳みそらしい。

おぼえるわざ

サイコブースト、しんそく、こうそくいどう

しんか

デオキシス（スピードフォルム）

進化しない

513

デオキシス

ディフェンスフォルム

DEOXYS DEFENSE FORME

DNAポケモン

ずかんばんごう	**386**
タイプ	エスパー ......
とくせい	プレッシャー ......
たかさ	1.7m
おもさ	60.8kg

かいせつ

レーザーを浴びた宇宙ウィルスのDNAが、突然変異を起こして生まれたポケモン。むねの水晶体が、脳みそらしい。

知能が高く、超能力をあやつる。むねの水晶体から、レーザーを出す。

おぼえるわざ

サイコブースト、じこさいせい、てっぺき

しんか

進化しない

デオキシス（ディフェンスフォルム）

514　＊DNA：親の形や性質を子につたえる遺伝子のこと。

デオキシス

ノーマルフォルム

DEOXYS NORMAL FORME

DNAポケモン

ずかんばんごう	386
タイプ	エスパー ……
とくせい	プレッシャー ……
たかさ	1.7m
おもさ	60.8kg

知能が高く、超能力をあやつる。むねの水晶体から、レーザーを出す。

かいせつ

レーザーを浴びた宇宙ウィルスのDNAが、突然変異を起こして生まれたポケモン。むねの水晶体が、脳みそらしい。

おぼえるわざ

サイコブースト、コスモパワー、テレポート

しんか

デオキシス（ノーマルフォルム）

進化しない

515

デカグース DEKAGOOSE

とてもがまん強い性質だが、好物のコラッタを見つけると、われをわすれて飛びかかるぞ。

はりこみポケモン

ずかんばんごう	**735**
タイプ	ノーマル ……
とくせい	はりこみ がんじょうあご
たかさ	0.7m
おもさ	14.2kg

かいせつ

もともとアローラにはいなかったが、昔、コラッタが大量に発生したときに、連れて来られた。

おぼえるわざ

ひっさつまえば、かみくだく、かぎわける

しんか

ヤングース ➡ デカグース

デスカーン　DESUKARN

かんおけポケモン

ずかんばんごう	563
タイプ	ゴースト ……
とくせい	ミイラ ……
たかさ	1.7m
おもさ	76.5kg

古いおはかのかべに、王様の富の象徴として、えがかれていることが多い。

かいせつ

ピカピカの黄金の体。もはや、人間だったことは、思い出すことはないという。

おぼえるわざ

シャドークロー、のろい、あくのはどう

しんか

デスマス → デスカーン

517

デスバーン　DEATHBARN

おんねんポケモン

ずかんばんごう	**867**
タイプ	じめん / ゴースト
とくせい	さまようたましい / ……
たかさ	1.6m
おもさ	66.6kg

強いのろいをこめてかかれた古代の絵が、デスマスのたましいを取りこみ、動きだした。

かいせつ

かげのような体にふれてはいけない。絵にきざまれたおそろしい記憶を、見せられるぞ。

おぼえるわざ

シャドークロー、くろいまなざし、のろい

しんか

デスマス（ガラルのすがた） → デスバーン

デスマス DESUMASU

古代人のたましいが、ポケモンになった。自分の顔を知る人をさがし、いせきをさまよう。

たましいポケモン

ずかんばんごう	562
タイプ	ゴースト ……
とくせい	ミイラ ……
たかさ	0.5m
おもさ	1.5kg

かいせつ

夜な夜ないせきをさまよう。もっているマスクは、人だったころの自分の顔だという。

おぼえるわざ

おにび、シャドーボール、くろいまなざし

しんか

デスマス → デスカーン

デスマス

ガラルのすがた

GALAR DESUMASU

たましいポケモン

ずかんばんごう	562
タイプ	じめん ゴースト
とくせい	さまようたましい ……
たかさ	0.5m
おもさ	1.5kg

強いうらみをもつたましいに、古代の粘土板が引きよせられ、ポケモンになったといわれる。

かいせつ

のろいがきざまれた粘土板が、デスマスにとりついた。怨念パワーをすいとっているという。

おぼえるわざ

じしん、シャドーボール、トリックガード

しんか

デスマス (ガラルのすがた) → デスバーン

520

テッカグヤ　TEKKAGUYA

この世界では、異質できけんだが、本来すんでいる世界では、ふつうに見かける生物らしい。

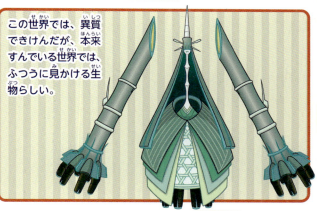

うちあげポケモン

ずかんばんごう	797
タイプ	はがね ひこう
とくせい	ビーストブースト ……
たかさ	9.2m
おもさ	999.9kg

かいせつ

きけんなウルトラビーストの一種。巨大な両うでから、高いエネルギー反応を検出。

おぼえるわざ

ラスターカノン、ヘビーボンバー、てっぺき

しんか

テッカグヤ　進化しない

テッカニン　TEKKANIN

鳴き声をきき続けると、頭痛が治まらなくなる。見えないほどの速さで動く。

しのびポケモン	
ずかんばんごう	**291**
タイプ	むし ひこう
とくせい	かそく ……
たかさ	0.8m
おもさ	12.0kg

かいせつ

どんなこうげきでもさけてしまうといわれるほど、すばやいポケモン。あまい樹液が大好物。

おぼえるわざ

かげぶんしん、れんぞくぎり、むしくい

しんか

ツチニン

テッカニン

テッシード

TESSEED

とげのみポケモン

ずかんばんごう	**597**
タイプ	くさ はがね
とくせい	てつのトゲ ……
たかさ	0.6m
おもさ	18.8kg

コケむしたどうくつを好む。
コケがふくむ酵素*が、トゲを
大きくじょうぶに育むのだ。

かいせつ

トゲを飛ばして、身を守る。ねらった方向に飛ばすには、たくさんの訓練が必要。

おぼえるわざ

かたくなる、たいあたり、メタルクロー

しんか

テッシード → ナットレイ

*酵素：生物の体内でつくられて、体内の化学反応を助けるもの。

523

テッポウオ

TEPPOUO

ふんしゃポケモン

ずかんばんごう	**223**
タイプ	みず ……
とくせい	はりきり スナイパー
たかさ	0.6m
おもさ	12.0kg

口からふき出す水流は、100メートル先で動く獲物にだって、命中する。

かいせつ

きゅうばんのように変化した背びれで、*マンタインにくっつき、食べ残しを分けてもらっている。

おぼえるわざ

ロックオン、れいとうビーム、みずのはどう

しんか

テッポウオ → オクタン

*マンタイン：「下」にのっているポケモンだよ。

デデンネ　DEDENNE

アンテナポケモン

ずかんばんごう	**702**
タイプ	でんき フェアリー
とくせい	ほおぶくろ ものひろい
たかさ	0.2m
おもさ	2.2kg

電気を生み出す力が弱いので、コンセントやほかのでんきポケモンから、ぬすむのだ。

かいせつ
仲間の放つ電波をヒゲでキャッチ。エサや電気のありかを、みんなで*シェアするのだ。

おぼえるわざ
ほっぺすりすり、でんきショック、あまえる

しんか

デデンネ　進化しない

＊シェア：食べ物や情報などを、だれかと分けること。

525

テブリム　TEBRIM

せいしゅくポケモン	
ずかんばんごう	**857**
タイプ	エスパー ……
とくせい	いやしのこころ きけんよち
たかさ	0.6m
おもさ	4.8kg

かいせつ
強い感情をもつものは、それがだれであれ、だまらせる。その手段は、じつにらんぼう。

おぼえるわざ
ぶんまわす、なかよくする、サイケこうせん

頭のふさで相手をなぐり、だまらせる。プロボクサーさえ、1発KOの破壊力。

しんか　ミブリム → テブリム → ブリムオン

526　＊KO：ノックアウト。たおれて、立ち上がれないこと。

テラキオン TERRAKION

がんくつポケモン

ずかんばんごう	639
タイプ	いわ かくとう
とくせい	せいぎのこころ ……
たかさ	1.9m
おもさ	260.0kg

ポケモンを守るため、人間に戦いをいどんだ伝説が、イッシュ地方に残されている。

かいせつ

けたはずれのパワーの持ち主。小さなポケモンをいじめる相手はとことんたたきのめす。

おぼえるわざ

せいなるつるぎ、とっしん、ストーンエッジ

しんか

進化しない

527

デリバード

DELIBIRD

はこびやポケモン	
ずかんばんごう	**225**
タイプ	こおり ひこう
とくせい	やるき はりきり
たかさ	0.9m
おもさ	16.0kg

自分のエサを、人やポケモンに分ける習性があるため、いつもエサをさがし回っている。

かいせつ

1日ずっとエサを運んでいる。そうなんした人が、デリバードのエサで助かった話もある。

おぼえるわざ

プレゼント、ドリルくちばし

しんか

デリバード　進化しない

デルビル

DELVIL

夜明け前に、不気味な遠ぼえをくり返し、自分たちのむれのそんざいをアピールしている。

ダークポケモン

ずかんばんごう	228
タイプ	あく / ほのお
とくせい	はやおき / もらいび
たかさ	0.6m
おもさ	10.8kg

かいせつ

仲間との連携が得意。パートナーになると、トレーナーの命令にとっても忠実だ。

おぼえるわざ

ほのおのキバ、ふくろだたき、かぎわける

しんか

デルビル → ヘルガー

529

デンジュモク DENJYUMOKU

でんしょくポケモン

ずかんばんごう	796
タイプ	でんき ……
とくせい	ビーストブースト ……
たかさ	3.8m
おもさ	100.0kg

この世界では、異質できけんだが、本来すんでいる世界では、ふつうに見かける生物らしい。

かいせつ

ウルトラビーストとよばれる。樹木のように、地面に手足をさしたまま動かないものもいる。

おぼえるわざ

でんじほう、10まんボルト、でんじふゆう

しんか

デンジュモク

進化しない

デンヂムシ DENDIMUSHI

がんじょうなカラで身を守る。あごの先端から、電気を流して反撃する。

バッテリーポケモン	
ずかんばんごう	**737**
タイプ	むし でんき
とくせい	バッテリー ……
たかさ	0.5m
おもさ	10.5kg

かいせつ

食べた落ち葉を消化するとき、発電するしくみ。おなかの電気ぶくろに充電される。

おぼえるわざ

じゅうでん、スパーク、ねばねばネット

しんか　アゴジムシ → デンヂムシ → クワガノン

531

デンチュラ　DENTULA

飛ぶのが下手なヒナをねらい、鳥ポケモンの巣の近くに、電気の糸でわなをはるぞ。

でんきグモポケモン	
ずかんばんごう	596
タイプ	むし／でんき
とくせい	ふくがん／きんちょうかん
たかさ	0.8m
おもさ	14.3kg

かいせつ

電気をおびたおなかの毛を飛ばして、こうげき。毛がささると、三日三晩全身がしびれる。

おぼえるわざ

ねばねばネット、エレキボール、ほうでん

しんか

バチュル　→　デンチュラ

デンリュウ DENRYU

ライトポケモン
ずかんばんごう	181
タイプ	でんき ……
とくせい	せいでんき ……
たかさ	1.4m
おもさ	61.5kg

しっぽは、強く明るくかがやく。船乗りたちの道しるべとして、昔から大切にされてきた。

かいせつ
しっぽの光は、宇宙までとどくので、どこにいるかまるわかり。だから、ふだんは消している。

おぼえるわざ
かみなりパンチ、でんじは、りゅうのはどう

しんか

メリープ → モココ → デンリュウ

533

メガデンリュウ

MEGA DENRYU

膨大なエネルギーが、細胞をはげしくしげき。ねむっていたドラゴンの血が、目覚めたらしい。

デンリュウ

ライトポケモン

ずかんばんごう	181
タイプ	でんき ドラゴン
とくせい	かたやぶり ……
たかさ	1.4m
おもさ	61.5kg

かいせつ

メガシンカのかじょうなエネルギーが、遺伝子をしげき。ぬけ落ちたはずの体毛が、ふたたび生えてきた。

おぼえるわざ

りゅうのはどう、シグナルビーム、プラズマシャワー

*遺伝子：親の体の形や性質が、子に伝わることを遺伝という。遺伝子は遺伝を起こす元になる物質。

ドータクン DOHTAKUN

雨雲をよぶ神といわれる。おこらせると、かねの音のような不気味な声でいかくする。

どうたくポケモン

ずかんばんごう	437
タイプ	はがね エスパー
とくせい	ふゆう たいねつ
たかさ	1.3m
おもさ	187.0kg

かいせつ

ドータクンにいのりをささげると雨がふり作物を育てると、古代の人びとは信じていた。

おぼえるわざ

ジャイロボール、ヘビーボンバー、てっぺき

しんか

  →

ドーミラー　　ドータクン

ドードー　　DODO

羽は短く、空を飛ぶのは苦手だが、そのかわり、発達した足で速くかけることができる。

ふたごどりポケモン	
ずかんばんごう	**084**
タイプ	ノーマル ひこう
とくせい	にげあし はやおき
たかさ	1.4m
おもさ	39.2kg

かいせつ

2つの頭が同時にねむることはない。ねているとき、てきからおそわれないように、かわりばんこで見はりをしているからだ。

おぼえるわざ

でんこうせっか、ダブルアタック、とびげり

しんか

ドードー　→　ドードリオ

ドードリオ   DODORIO

ドードーのどちらかの頭が分裂した変種。草原を、時速60キロで走っていく。

みつごどりポケモン

ずかんばんごう ▶ **085**

タイプ	ノーマル ひこう
とくせい	にげあし はやおき
たかさ	1.8m
おもさ	85.2kg

かいせつ

3つの頭が、別べつの方向を向いているときは、けいかいしているしょうこ。うかつに近よると、クチバシでつつかれるぞ。

おぼえるわざ

トライアタック、ドリルくちばし、あばれる

しんか

 →

ドードー　　ドードリオ

537

ドーブル

DOBLE

しっぽの先から出る体液は、ドーブルの感情によって、色合いが変化するのだ。

えかきポケモン

ずかんばんごう	**235**
タイプ	ノーマル ……
とくせい	マイペース テクニシャン
たかさ	1.2m
おもさ	58.0kg

かいせつ

しっぽの先から出る体液で、マークをえがく。マークによっては、マニアに高値で取引される。

おぼえるわざ

スケッチ

しんか

ドーブル 　進化しない

ドーミラー　DOHMIRROR

古いおはかから見つかる。背中のもようには神秘的な力が宿っているといわれる。

せいどうポケモン

ずかんばんごう	436
タイプ	はがね エスパー
とくせい	ふゆう たいねつ
たかさ	0.5m
おもさ	60.5kg

かいせつ

みがけば光り、真実をうつし出すともいわれるが、ドーミラーはとてもいやがる。

おぼえるわざ

ねんりき、しんぴのまもり、さいみんじゅつ

しんか

ドーミラー　→　ドータクン

ドガース　　　DOGARS

毒ガスでパンパンの体。生ゴミのくさったにおいを求め、ゴミすて場にやってくる。

どくガスポケモン

ずかんばんごう	**109**
タイプ	どく ……
とくせい	ふゆう かがくへんかガス
たかさ	0.6m
おもさ	1.0kg

かいせつ

きたない空気がごちそう。昔のガラル地方には、今よりたくさんのドガースがいたという。

おぼえるわざ

どくガス、ヘドロばくだん、くろいきり

しんか

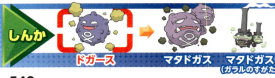

ドガース　　マタドガス　マタドガス（ガラルのすがた）

ドククラゲ　DOKUKURAGE

頭の赤い玉の光が強くなったら、要注意。*超音波を放つ前ぶれだ。

くらげポケモン

ずかんばんごう	073
タイプ	みず、どく
とくせい	クリアボディ／ヘドロえき
たかさ	1.6m
おもさ	55.0kg

かいせつ

80本の触手は、のびちぢみ自由。あみのように広げて獲物をとらえ、毒バリをさす。

おぼえるわざ

ヘドロウェーブ、どくづき、ハイドロポンプ

しんか

メノクラゲ → ドククラゲ

＊超音波：人間の耳には聞こえない高い音。

541

ドクケイル　DOKUCALE

羽ばたくと、細かい粉がまい上がる。すいこむと、プロレスラーもねこむ猛毒だ。触角のレーダーでエサをさがす。

どくがポケモン	
ずかんばんごう	**269**
タイプ	むし / どく
とくせい	りんぷん ……
たかさ	1.2m
おもさ	31.6kg

かいせつ

灯りに引きよせられる習性をもつ。街灯りにさそわれたドクケイルのむれが、街路樹の葉っぱを食べ散らかしてしまう。

おぼえるわざ

ちょうのまい、むしのさざめき、どくどく

しんか

 → →

ケムッソ　　マユルド　　ドクケイル

542

ドクロッグ　DOKUROG

獲物をしとめると、ゲロゲロと勝利のおたけびをあげる。ガマゲロゲと、種として近い。

どくづきポケモン

ずかんばんごう	454
タイプ	どく かくとう
とくせい	きけんよち かんそうはだ
たかさ	1.3m
おもさ	44.4kg

かいせつ

はねるようにてきに近づくと、毒のツメでえぐるように打つ！　かすりキズでも、相手は*ＫＯだ。

おぼえるわざ

どくづき、ベノムショック、ヘドロばくだん

しんか

 →

グレッグル　　ドクロッグ

＊ＫＯ：ノックアウト。たおれて、立ち上がれないこと。

トゲキッス　TOGEKISS

しゅくふくポケモン	
ずかんばんごう	**468**
タイプ	フェアリー ひこう
とくせい	はりきり てんのめぐみ
たかさ	1.5m
おもさ	38.0kg

かいせつ

争い事や、もめ事が起こる場所には、すがたを見せない。近ごろは、ほとんど見かけない。

めぐみをあたえるそんざいといわれており、大昔から、縁起物にえがかれてきた。

おぼえるわざ

エアスラッシュ、ねがいごと、ゴッドバード

しんか　トゲピー → トゲチック → トゲキッス

544

トゲチック TOGECHICK

しあわせポケモン	
ずかんばんごう	176
タイプ	フェアリー / ひこう
とくせい	はりきり / てんのめぐみ
たかさ	0.6m
おもさ	3.2kg

心やさしい人の前に、幸せをもたらすためすがたをあらわすといわれている。

かいせつ
やさしい人のそばにいないと、元気が出なくなってしまう。羽を動かさずに、空にうかべる。

おぼえるわざ
てんしのキッス、ようせいのかぜ、あまえる

しんか

 → → →

トゲピー　トゲチック　トゲキッス

545

トゲデマル　TOGEDEMARU

まるまりポケモン

ずかんばんごう	**777**
タイプ	でんき はがね
とくせい	てつのトゲ ひらいしん
たかさ	0.3m
おもさ	3.3kg

背中の長い毛で、かみなりやでんきポケモンの電撃を受けて、電気ぶくろに充電する。

かいせつ

14本の背中のハリの毛は、びっくりしたりこうふんすることがあると、勝手にさか立ってしまう。

おぼえるわざ

ほっぺすりすり、ミサイルばり、スパーク

しんか

トゲデマル　進化しない

546

トゲピー　TOGEPY

はりたまポケモン

ずかんばんごう	> 175
タイプ	フェアリー……
とくせい	はりきり てんのめぐみ
たかさ	0.3m
おもさ	1.5kg

ねているトゲピーを、うまく立たせることができれば、幸せになれるとの言い伝えがある。

かいせつ

カラの中に、幸せがたくさんつまっているらしく、やさしくされると、幸運を分けあたえるという。

おぼえるわざ

なきごえ、いのちのしずく、ゆびをふる

しんか

トゲピー　→　トゲチック　→　トゲキッス

547

ドゴーム

DOGOHMB

おおごえポケモン	
ずかんばんごう	294
タイプ	ノーマル……
とくせい	ぼうおん……
たかさ	1.0m
おもさ	40.5kg

大声は、聴覚だけでなく空気の圧力となり、てきをふき飛ばしダメージをあたえる。

かいせつ

耳はスピーカーの役割。一軒家をふき飛ばす威力の音波を、耳から放射する。

おぼえるわざ

ハイパーボイス、かみつく、いやなおと

しんか

 ゴニョニョ → ドゴーム → バクオング

ドサイドン

DOSIDON

ドリルポケモン

ずかんばんごう	464
タイプ	じめん いわ
とくせい	ひらいしん ハードロック
たかさ	2.4m
おもさ	282.8kg

プロテクターでこうげきをはじき、相手(あいて)がひるんだところを、自慢(じまん)のドリルでつらぬく。

かいせつ

手のあなに、岩(いわ)やダンゴロをつめて発射(はっしゃ)。*装填(そうてん)できる数(かず)は、片(かた)うでにつき３つ。

おぼえるわざ

ドリルライナー、つのでつく、がんせきほう

しんか

 →   →

サイホーン　　サイドン　　ドサイドン

＊装填(そうてん)：つめこむこと。

トサキント TOSAKINTO

背びれ、むなびれが、筋肉のように発達しており、水中を5ノットの速さで泳ぐ。

きんぎょポケモン

ずかんばんごう	**118**
タイプ	みず ……
とくせい	すいすい みずのベール
たかさ	0.6m
おもさ	15.0kg

かいせつ

背びれ、むなびれ、尾びれが、ゆうがにたなびくので、水のおどり子とよばれる。

おぼえるわざ

ちょうおんぱ、つのドリル、アクアリング

しんか

トサキント → アズマオウ

550　＊ノット：速さの単位。5ノットは時速約9キロ。

コロタン文庫

898ぴきせいぞろい！
ポケモン大図鑑 上

- ◎ 構成／楓　拓磨
- ◎ 協力／株式会社ポケモン
  - 株式会社小学館集英社プロダクション
- ◎ デザイン／内藤夕利子　石本　遊

- ◎ 制作／後藤直之　◎ 資材／木戸　礼
- ◎ 販売／藤河秀雄　◎ 宣伝／綾部千恵
- ◎ 編集／嶋津　睦

©Pokémon.
©Nintendo/Creatures Inc./GAME FREAK inc.

2021年11月22日　初版第1刷発行
2024年 5月 7日　第10刷発行

発行人　野村敦司
発行所　株式会社小学館
〒101-8001
東京都千代田区一ツ橋2−3−1
電話　03-3230-5453（編集）
　　　03-5281-3555（販売）

印刷所
製本所　TOPPAN株式会社

©SHOGAKUKAN2021
Printed in Japan
ISBN978-4-09-281247-5

造本には十分注意しておりますが、印刷、製本など製造上の不備がございましたら「制作局コールセンター」（フリーダイヤル0120-336-340）にご連絡ください。
（電話受付は、土・日・祝休日を除く9：30〜17：30）

本書の無断での複写（コピー）、上演、放送等の二次利用、翻案等は、著作権法上の例外を除き禁じられています。
本書の電子データ化などの無断複製は著作権法上の例外を除き禁じられています。代行業者等の第三者による本書の電子的複製も認められておりません。

552